La Balade des tordus

Michel Châteauneuf

La Balade des tordus

Collection Le Treize noir

La Veuve noire, éditrice inc.
145, rue Poincaré, Longueuil, Québec J4L 1B2
www.veuvenoire.ca

La Veuve noire, éditrice remercie le Conseil des Arts du
Canada et la SODEC pour l'aide accordée à son programme
de publication.
La Veuve noire, éditrice bénéficie également du Programme
de crédit d'impôt pour l'édition de livres – Gestion SODEC
– du gouvernement du Québec.

Dépôt légal: 2006
Bibliothèque nationale du Canada
Bibliothèque nationale du Québec

**Données de catalogage avant publication de
Bibliothèque et Archives Canada**

Châteauneuf, Michel

La Balade des tordus

(Collection Le Treize noir)

ISBN 2–923291-05-0

I.   Titre. II. Collection.

PS8605.H39B34 2006 C843'.6 C2006-940890-4
PS9605.H39B34 2006

Illustration de la couverture
et conception de la maquette :
Robert Dolbec

Pour Marie-Anik Châteauneuf

1 : Le pédé, La Mouffette et Madame Hibou

En érection dans la douche, Saint-Jean présentait le dos au jet de la pomme. Il revivait l'extase de son dernier *golden shower*. C'était au Viêtnam, l'hiver d'avant, à l'époque révolue où il pouvait encore s'offrir un ou deux voyages sexuels par an. Le Viêtnam, paradis de l'amour, avec ses bars de fortune remplis de gamins aux dents blanches. Le Viêtnam, terre de liberté, avec ses policiers faciles à corrompre. Une des dernières destinations sûres où l'amateur d'enfants pouvait aimer sans craindre une descente. La musique kitch ramenée de là-bas fusait à tue-tête des haut-parleurs de la douche. Il s'imaginait dans la moiteur du lit de l'hôtel de passe, enfourché par ce magnifique *neuf ans*. Qui se trémoussait, lubrique, au rythme des voix métalliques que crachait un lecteur portatif. Tout petit, tout frêle, si rachitique qu'il paraissait plus jeune encore. L'enfant, les yeux lumineux dans leur écrin bridé, honorait ses reins d'une urine brûlante et suave.

Saint-Jean la Divinité, oint dans la pisse vir-
ginale de la Candeur ! Il se retourna face à
la pomme et revit distinctement le minois
imberbe du petit et sa grimace complice se
dessiner au moment de la pénétration. Il sentait avec délectation le poids de l'enfant
agrippé à ses chairs, le chatouillement des
sueurs vite rafraîchies par le ventilateur de
plafond, l'odeur acide de la communion des
corps. En trois saccades abondantes, il
macula de sperme la céramique de la salle
de bains.

Saint-Jean sortit de la douche, le sexe toujours dressé. Il prit une serviette suspendue
à la patère et s'essuya à la hâte. Il était tendu,
de nouveau, malgré cette heure passée sous
le jet. Loin de l'avoir assouvi, sa branlette
l'avait chargé de désirs. Désirs que seul un
enfant en chair et en os parviendrait à calmer. Il succomberait, il le savait, à la tentation d'appeler le Russe. Quand il devenait
ainsi l'instrument de ses pulsions, sa nature
circonspecte s'évanouissait, chassée par la
bête qui se manifestait en lui. Elle se manifestait si souvent et avec tant d'intensité qu'il
n'était plus aussi certain que ce puisse être
une seconde nature. Cette tare si vive semblait le caractériser. Entre les crises, ne se sen-
tait-il pas vaporeux, peu ancré dans son environnement ? Au début, il avait survécu à
l'anonymat de l'orphelinat grâce à cette tare.

En prenant plaisir à s'offrir aux plus grands. Et plus grand, à initier les plus jeunes. Sa fascination pour la gent infantile ne s'était pas transformée, en vieillissant, en appétence purement homosexuelle. Sa fixation, pour son malheur, s'orientait toujours vers le jeune âge. Le très jeune âge. À cinquante ans, maintenant sans grandes ressources, Saint-Jean vivait cruellement son impossibilité de fuir Montréal pour gagner les paradis sexuels du Viêtnam, du Sri Lanka, de la Tunisie. Il traversa le salon où, sur un tam-tam africain, attendait le téléphone.

La pièce était sens dessus dessous, comme il l'avait laissée la veille après cette autre crise. Le gamin gonflable (une rareté achetée dans un sex-shop d'Amsterdam) semblait solliciter son abuseur, prostré près du téléviseur dans une position invitante, l'orifice rectal poissé. Des reliefs de pizza, une carcasse de poulet rôti, des sacs de réglisses et de croustilles jonchaient çà et là la moquette : quand cela le prenait, il devait assouvir tous ses appétits. De nombreuses revues de pornographie juvénile, romans-photos pédérastiques commentés en allemand ou en flamand, couvraient le divan. L'écran du lecteur DVD grésillait. Un document inestimable le mettait en scène, masqué, gracile à cette époque, lors d'une partouze secrète à laquelle il avait pris part en Belgique, alors que lui et d'autres membres du Club se faisaient de petits immigrés illégaux arrachés à leurs parents…

— Youri ? C'est Saint-Jean. Je veux rencontrer le garçon.

Le combiné coincé entre l'épaule et la joue, il se dandinait d'impatience. Il prit bientôt son ton comminatoire de policier :

— Écoute, Youri, je veux pas entendre de « oui, mais ». C'est simple : tu prépares le garçon, j'ai dit, et je passe le prendre dans une heure. Tu laisses la porte débarrée et je m'arrange avec lui. O.K.?

Saint-Jean retourna à la salle de bains, essuya le miroir embué d'un mouvement de l'avant-bras. S'examina dans la glace. Avec dégoût. Même s'il ne pouvait ici être question de séduction, il se préoccupait de son apparence lorsqu'il rencontrait un gamin. Et elle ne lui plaisait pas, son apparence. Il avait la peau flétrie. Son visage gras semblait étrangement asymétrique. Fondu, surtout du côté gauche. Sa bajoue gauche pendait davantage que la droite ! Un seul œil était poché. Ses rides sourcilières s'estompaient en traversant l'axe nasal, de sorte qu'il ressemblait ce matin-là à un portrait-robot inachevé.

Il se rendit à la chambre. Des femelles s'agitaient sur l'écran plat fixé au mur. C'était le *work out* matinal du réseau des sports. Il resta interdit au milieu de la pièce, hypnotisé par les vagues qui léchaient la plage derrière les athlètes en sueur. Sur le point de se perdre dans des rêveries d'évasion, l'homme s'ébroua. Il s'habilla en « papa cool » : jeans, tee-shirt, casquette des Canadiens de Montréal. Il découvrit sous un tas de vêtements sales son imper. Il l'enfila et s'assura que le .38 se trouvait dans la poche intérieure.

Il composa une longue gamme de chiffres sur le clavier du système d'alarme et sortit de son condo, le pas feutré, comme s'il voulait éviter d'éveiller l'attention de son voisin de palier, alors que l'insonorisation des unités était aussi hermétique que celle d'un studio d'enregistrement. Saint-Jean vivait dans un bunker. Un bunker de grand luxe, payé un demi-million, le plus « modeste » de tous ces nids superposés. Des nids conçus pour sceller hermétiquement les activités de riches mélomanes insomniaques, d'artistes noctambules, d'adeptes de la vocalise, d'échangistes sadomasochistes. Un univers qu'il devrait vendre, regrettait le policier, s'il ne reprenait pas sous peu ses activités parallèles.

Cette vie de pacha avait commencé dix ans plus tôt, grâce à un accident cardiovasculaire. Une malformation congénitale l'avait conduit à la table d'opération pour un double pontage. Une chance incroyable : inopérant, à quarante ans. Après sa convalescence, la brigade des stupéfiants l'avait muté à la gestion des rafles. Confiance inconsidérée ! Il n'avait pu résister à la tentation d'arrondir très substantiellement ses fins de mois. De petits vendeurs du port lui rachetaient régulièrement de bonnes quantités de camelote, des comprimés surtout : *ecstasy*, crack, cristal, qui se subtilisaient mieux que la poudre ou l'herbe. Il s'ennuyait bien parfois des poussées d'adrénaline que procurait la fonction d'infiltrer des milieux. De futiles spleens, vite compensés par la rentrée de sommes astronomiques. Et non imposables.

Il avait roulé sur l'or. Jusqu'à ce qu'il découvre, dissimulée derrière la porte vitrée de la machine distributrice de la chambre forte, cette minuscule caméra. Laissée débranchée et sous polythène durant une bonne semaine. Puis un beau matin activée, l'épiant désormais dans ses mouvements. N'eût été de son œil de lynx, il se serait fait prendre les culottes baissées. Était-il soupçonné ? S'assurait-on simplement de son intégrité ? Était-ce une mesure du Ministère, appliquée par ses supérieurs pour respecter de nouveaux devis ? Non, il s'était vraiment senti « enquêté ». Plus question depuis de bénéficier de ses avantages sociaux. Avec son rythme de vie de président d'entreprise, trois mois de coupure avaient suffi à le soumettre à un stress économique épouvantable. Il en avait le corps couvert d'urticaire.

Ascenseur. Parking souterrain. Infiniti G35.

Le véhicule noir de Saint-Jean sortait de sous l'immeuble. Dehors, c'était intemporel. Sans une montre, il aurait été difficile de savoir quelle heure il était tellement le temps paraissait lourd et figé. Au-dessus du parc commémoratif, un soleil anémique, semblable à un tison de cigarette, brûlait le drap gris du ciel. Le début de l'hiver, sans doute. Le début des intempéries sous ses formes les plus détestables : crachin, neige fondante, verglas et blizzard. Six mois d'humidité pénétrante, de froid mordant et d'air trop vif. À lutter pour son confort. À espérer encore ce bref été caniculaire peuplé de moustiques. Il serait interminable, l'hiver, sans la possibilité de l'éluder, le temps d'un voyage ou deux…

Autoroute métropolitaine, sous les feux des lampadaires, comme en pleine nuit. Puis, sortie, vers l'est de Montréal. Saint-Jean conduisait sans prêter attention au décor, entièrement absorbé par l'objet de la course, tel un alcoolique qui, à quelques minutes de la fermeture du dépanneur, accourrait au débit, carencé.

Bien qu'il fût en manque, l'imminence du viol ne l'excitait pas outre mesure. Rien à voir avec l'exaltation fantasmatique qui précédait la consommation de très jeunes prostitués du sud, triés sur le volet. Le garçon qu'il s'apprêtait à prendre était à peine convenable, au seuil de la nubilité. Le mois dernier, il avait remarqué un fin duvet pubien à la racine de son pénis. Peut-être était-ce sa dernière rencontre avec ce seul candidat disponible. Ça devenait très difficile de toute façon. Le garçon résistait à son agresseur. Il fallait le droguer. Et le père louait avec de plus en plus de réticence le corps de son rejeton, exigeait un cachet de plus en plus élevé. Seule la menace d'un congédiement, proférée par son patron, le Russe, finissait par convaincre le Cambodgien borgne de lâcher le morceau. Saint-Jean prenait des risques. En faisait prendre au Russe.

Il arrivait. Le policier immobilisa l'Infiniti en face du commerce du Russe, une boutique de denrées exotiques cachant dans son sous-sol une manufacture de jeans Tommy contrefaits. Qui fonctionnait la nuit, uniquement, pour ne pas attirer l'attention. Et que Saint-Jean taxait. Ses employés, tous des sans papiers payés à la pièce, cousaient de minuit jusqu'au matin. Ils étaient une douzaine, coude à coude, hommes, femmes, enfants, vieillards, à suffoquer dans ce réduit mal éclairé. Dont Pham, le garçon cambodgien de treize ans.

Spartacus l'Affranchi sauta de la stalagmite et écrabouilla une vipère : deux points de vie additionnels ! Le héros jubilait en voyant le décor changer. Il quittait les catacombes et émergeait dans une cité antique aux couleurs criardes. C'était la phase difficile. Les prochains monstres seraient plus combatifs, comme ce cyclope hirsute qui s'avançait, une masse d'armes entre ses quatre mains. Il fallait prendre l'initiative du combat ! Un coup, deux coups, trois coups de cimeterre. Arabesque magistrale ! Sans réplique. La créature se transforma en un tas de merde orangée, événement salué par une orgie de sons stridents, hymne victorieux qui ne manqua pas de galvaniser le courage du héros. Le compteur indiquait cent points de vie, de sorte que son cimeterre se transforma en glaive à faisceau désintégrant, le summum de l'armement ! Ce ne serait pas un luxe. Le Minotaure s'approchait. Pour l'avoir affronté à deux occasions déjà, mais sans succès, Spartacus savait qu'il était le garde du corps du Grand mystificateur, ce dernier représentant l'ultime créature à abattre comme accomplissement de l'odyssée. *Shit* du Christ ! Une saloperie de boule de feu venait de happer le héros par derrière ! Ses points de vie soudainement réduits de moitié ne lui octroyaient plus qu'une misérable dague. Ce serait le festin du Minotaure. Calvaire ! D'un seul jet de pistolet, le gardien réduisit Spartacus en cendres fumantes. Pourrait-il un jour

affronter ce foutu Grand mystificateur !
Sacrement !

— Hé ! La Mouffette ! me semble t'avoir
déjà dit de pas frapper la machine !

Dubois sortait peu à peu de l'univers vir-
tuel, les yeux pleins d'eau, l'esprit surchauffé.
Le barman semblait vraiment en colère. Il
faillit lui lancer son briquet par la tête, question de calmer les ardeurs du joueur accro.
Spartacus l'Affranchi, une machine presque
neuve, comme on n'en avait jamais vu encore
dans le village ! L'homme retint néanmoins
son geste. Dubois n'était pas le plus gros
buveur de Sainte-Anne-des-Chenaux, mais
il dépensait certainement cinquante dollars
par soir dans cette machine, beau temps
mauvais temps. Il fallait donc être indulgent
avec La Mouffette, plus qu'avec les ados du
village, parce que lui, au moins, il rapportait.

— Si c'est trop viril, le machin, t'as qu'à
aller faire de la cuisine avec les bonnes femmes du Cercle des fermières, se contenta
d'ironiser le barman, rangeant le briquet
dans la poche ventrale de son tablier.

Dubois fit pivoter le tabouret sous son
séant engourdi. Ça faisait bien deux heures
qu'il n'avait pas quitté l'écran des yeux. Le
bar s'était rempli. Marcel, le barman, juché
sur une caisse de bière, réglait le volume du
téléviseur. La radio resterait ouverte pour
satisfaire les uns, ainsi la musique western

couvrirait partiellement le son de la Soirée du hockey, de telle façon que les autres puissent deviner les propos des commentateurs sportifs quand ils s'exclameraient durant les moments forts du match. Une belle cacophonie. Pour ménager les susceptibilités de chacun. C'était comme ça au bar de l'hôtel, tous les samedis soirs. Depuis quarante ans.

Le Canadien de Montréal recevait les Red Wings de Détroit. Tous les habitués étaient là, assis à leur place respective, haranguant, buvant, fumant, rotant. Trois générations d'hommes venaient, selon le rituel, tâter le pouls du monde, un monde circonscrit par les quatre kilomètres carrés de Sainte-Anne-des-Chenaux, bled rural de cinq cents âmes situé à la confluence de la rivière Sainte-Anne et du fleuve Saint-Laurent. Sainte-Anne-des-Chenaux était sa rue principale, sans plus. Moins : un tronçon du Chemin du Roy où se succédaient quelques vieilles maisons à lucarnes et qu'on appelait pompeusement « le *down town* ». Lequel s'animait au rythme de ses principales institutions : l'église, la quincaillerie, le dépanneur, la caisse populaire, la loge des Chevaliers de Colomb, le salon funéraire, la salle communautaire, le resto *Chez Ginette* et la taverne, rebaptisée récemment *Le Pub du Pêcheur*, pour attirer l'attention des touristes, mais que l'indigène appelait et appellerait toujours « le bar de l'hôtel ».

17

Les clients du bar, qu'ils soient jeunes, qu'ils soient vieux, pensaient pareillement : tous avaient été élevés à la même enseigne, selon les mêmes valeurs rustaudes du terroir. Le monde se divisait en deux : il y avait les forts, qui constituaient la grande majorité, et les faibles, deux ou trois individus atypiques tout au plus, indispensables aux premiers pour pouvoir jouir, à titre référentiel, de leur statut de dominants. Benoît Dubois, alias La Mouffette, appartenait à la catégorie des faibles.

— Hé ! La Mouffette, lâche-la, la machine, persifla Marcel. T'as tout dépensé la monnaie que je t'ai changée.

Sa vie durant, il avait été le souffre-douleur des autres mâles. À l'école de la paroisse, au pensionnat des Frères de Saint-Gabriel, au terrain de jeux. Puis au bar de l'hôtel. Dès son plus jeune âge, on avait découvert, pour son malheur, la fragile composition de son âme. Jamais il ne s'était défendu lorsqu'on avait porté atteinte à son intégrité physique ou à son honneur. Jamais il ne s'était battu, choisissant de se faire injurier, bousculer, molester. Il était le seul adulte de Sainte-Anne à se laisser invectiver en public par les enfants du village. « Hé ! La Mouffette, change de trottoir, tu empestes l'air ! » « Hé ! La Mouffette » : toutes les paroles qu'on lui adressait commençaient par ce « Hé ! La Mouffette », comme un refrain qui cadençait sa lamentable existence.

Dubois s'expliquait mal sa nature. Il soupçonnait en son être une certaine dose de violence. Elle devait dormir quelque part dans un réservoir oublié, dont le boyau d'alimentation aurait été obstrué. Ce carburant, distillé au fil des frustrations, aurait dû animer son physique, plutôt imposant du reste. Non, en dépit de sa stature de gros « trimeur », il apparaissait aux yeux des autres comme un flan mou. L'essence de son être ne se rendait pas au moteur. Il avançait quand le chemin était pentu. S'arrêtait devant l'obstacle. Reculait lorsque le vent soufflait dans sa face. Il inspirait le mépris, lui, le pleutre, qui habitait encore avec sa mère, à quarante-sept ans. De chez qui il ne sortait que pour aller au bar de l'hôtel. Pour s'y faire injurier ! Tel semblait être l'ordre naturel des choses. Et il s'y résignait.

La Mouffette céda la machine à un jeune dont le regard lui signifiait qu'il avait intérêt à dégager.

Il alla s'asseoir à l'extrémité du comptoir, en retrait des autres, sur le tabouret le moins convoité du bar, parce que placé sous le téléviseur suspendu et qu'on ne pouvait regarder de cet angle sans se tordre le cou. Il sirota une bière pression et s'efforça de ne plus penser. Dubois possédait cette singulière faculté de faire le vide intérieur, de sortir de lui-même et d'accéder à des limbes d'indifférence, en marge du réel, où il trouvait à loger son esprit. Il n'avait pas à fermer les yeux pour s'enfuir là-bas. Quand son évasion se prolongeait, l'environnement tout autour changeait de coloration ; il avait alors l'impression d'être un personnage de jeu vidéo noyé dans un décor surfait.

— Hé ! La Mouffette !

Stéphane Lefebvre, l'armoire à glace du comté, venait d'accoster au bout du comptoir, sa grosse face patibulaire penchée sur la tête de Benoît Dubois, qui savait maintenant sa soirée gâchée. Respecté à cause de son lignage illustre, Stéphane Lefebvre était l'arrière-petit-fils de Jack Lefebvre, reconnu comme ayant été l'homme le plus fort du Canada français au début du siècle dernier. Le descendant avait hérité du bagage génétique de l'aïeul. Avec un zeste de cruauté en extra. Il venait d'entrer dans le bar, ses vêtements sentaient l'air du dehors.

— T'as pris ma place, déclara le géant, assaisonnant la bière de La Mouffette avec ses poils de narine arrachés d'un mouvement sec.

Dubois restait pétrifié sur son siège et n'osait regarder son interlocuteur dans les yeux. Lefebvre était celui qui l'avait le plus humilié durant son enfance, et à l'adolescence surtout. Depuis que le monstre s'était marié avec Nancy Douville, et qu'il avait arrêté de boire, il avait pourtant cessé de s'en prendre à sa pauvre personne. Il se demandait bien pourquoi diable il remettait ça tout à coup.

— Tu peux prendre ma place, si tu veux, balbutia Dubois, m'en allais de toute façon.

— C'est pas de ton siège *que* je parle. C'est mon parking que je veux. T'as pris ma place avec ton pick-up. T'es *parké* dans le parking des motos, maudit maillet ! Avec ton pick-up tout crotté !

Lefebvre empoigna Dubois par le collet, le souleva du tabouret, et, d'un seul bras, le secoua sans ménagement. Aucune résistance. Poussé ensuite vers la sortie du bar, le pleutre heurta la distributrice de « pinottes » et tomba avec elle dans un fracas de verre brisé. Les clients se levèrent d'un bloc, non pas pour intervenir – personne n'aimait La Mouffette –, mais pour ne rien manquer de la raclée. Raclée qui n'eut d'ailleurs pas lieu, au grand soulagement de Marcel, puisque sitôt relevé, Dubois prit ses jambes à son cou et sortit du bar sans se retourner. Il mit quelques secondes à s'apercevoir qu'il s'était entaillé la paume des mains sur des tessons. Il regagna le pick-up, les bras croisés sur son torse, à la manière des momies incas, les mains blessées enfouies sous les aisselles, une sueur brûlante maculant ses flancs d'un coulis couleur de mercurochrome.

Au moment de démarrer, il s'aperçut que ses essuie-glaces avait été tordus. Regard furtif tout autour. À sa stupéfaction, il n'y avait pas trace de moto.

Il avait accepté jusque-là la légitimité de cette revendication au sujet du stationnement réservé. Maintenant, il se sentait lésé. Lefebvre était venu à pied depuis chez lui.

Le Russe désigna du menton un coin de l'entrepôt. L'enfant était assis sur des caisses, les yeux ouverts et fixes. Il avait en fait la mine tétanisée.

— *Shit* ! fit le policier. Combien de cachets tu lui as donnés ?

— Assez pour qu'il soit gentil. Il ne veut plus obéir à son père et, sans vouloir t'insulter, il ne veut plus rien savoir du « monsieur méchant ».

— Je suis pas méchant avec lui ! se défendit Saint-Jean, piqué au vif. Même que la plupart des choses qu'il possède, ça vient de moi. Occupe-toi de tes affaires à part de ça !

Le Russe alla chercher Pham par la main. Laquelle fut cédée au pédophile. L'enfant se laissait mener, servile, avançant sans regarder quiconque, à la manière d'un zombi.

Saint-Jean sortit de l'entrepôt avec le jeune Cambodgien. On aurait pu croire qu'il s'agissait d'un bon Québécois qui aurait adopté ce petit être dans un noble élan de compassion pour l'humanité. En fait, il se demandait si son mignon n'avait pas changé, encore, depuis leur dernière « sauterie ». Le garçon avait perdu sa candeur. Ses traits devenaient adultes. Et où donc était passée cette faculté d'étonnement qui animait son regard il n'y avait pas si longtemps ? L'effet des drogues peut-être…

Un vent tempétueux s'engouffrait dans la rue, des cristaux de glace portés par son haleine polaire rebondissaient sur les vête-ments, criblaient les visages nus. Pays de misères ! L'avant-bras porté à son front gelé, Saint-Jean ouvrit à la hâte la portière arrière de sa voiture. Pham s'assit mollement dans le véhicule.

L'Infiniti noire mit moins de trois quarts d'heure à regagner la Tour César. Elle glis-sait furtivement parmi les autres véhicules de luxe, dans la pénombre du stationnement souterrain, dont la porte, babylonienne, tel un maxillaire d'acier, achevait de se refermer sur la vie privée du policier. Ouf ! Aller cher-cher l'enfant chez le Russe le stressait de plus en plus. Pourquoi bordel bandait-il sur l'in-terdit ? Il maudissait sa nature indomptée. Dans une ville où les réseaux n'étaient pas vraiment structurés, l'amateur d'enfants devait prendre des risques énormes et ça commençait à jouer sur sa pression artérielle. Aussi, il ne se risquait plus à laisser des traces sur Internet. Depuis que la police avait pincé des internautes pédophiles, plus question de clavarder… Sa race devenait l'ennemi public numéro un.

Le garçon dormait, cadavéreux, sur la banquette. Il le glissa hors de l'auto, sans le réveiller, le prit dans ses bras et ferma la portière avec le genou. Personne dans l'ascenseur. Premier, deuxième, troisième, quatrième, cinquième. Personne dans le hall de l'étage. Saint-Jean déposa Pham sur le plancher marbré, le temps d'ouvrir la porte du condo et de désactiver le système d'alarme. Puis, il s'empressa de l'étendre sur le divan du salon et le recouvrit de son imper. Pas la moindre réaction : on l'aurait cru plongé dans le coma, le petit.

— Je me prépare, mon *boat people* chéri, fit Saint-Jean, même s'il croyait ne pas être entendu.

Il entra dans la salle de bains, frénétique, déboutonnant son pantalon. Pour exciter sa libido, il se remémorait les moments les plus lubriques de leur dernière partie de cul. Il était soucieux de performance, peu importe qu'il ait payé un tiers pour se satisfaire, qu'il ne s'agisse pas d'une conquête, mais bien du commerce d'un corps, d'un corps non consentant. Il voulait être dur comme du béton au moment d'attaquer le cul serré du morveux. Il savait flatter son ego de prédateur, même en présence d'une proie d'accommodement.

Les murs vibrèrent au son d'une détonation. Saint-Jean débanda illico, le sang pompé soudain par le cœur en panique. Le .38 ! Il l'avait laissé dans la poche intérieure de son imperméable, l'imbécile ! Il fut d'abord tenté par une fuite côté sortie d'urgence. Puis, il se ressaisit. Son ascendant sur l'enfant suffirait à le désarmer.

Il se rendit lentement au salon, arborant un air autoritaire. Qui masquait mal un effroi irrépressible. Pham était assis en tailleur sur le divan, l'arme en joue, pointée vers lui lorsqu'il se présenta, nu comme un morse, à l'entrée de la pièce, à moins de cinq mètres du canon.

— Dépose ça sur le plancher, Pham !

L'adolescent jeta sur Saint-Jean un regard chargé de fureur haineuse. Le policier avait joué la mauvaise carte. Un quasar de douleur explosa dans son épaule. Il s'effondra lourdement, face contre sol, l'écho de la déflagration martelant ses tempes. Un troisième coup retentit. Il tressaillit dans sa chair, certain d'être atteint de nouveau. Il ne savait pas alors que Pham agonisait sur le divan, le crâne éclaté.

La fête des enfants avait pris fin deux heures plus tôt. Madame Harel avait été la dernière maman à venir reprendre sa bambine. Et comme les autres mères qui défilèrent cette fin d'après-midi-là, Madame Harel aussi avait eu de la difficulté à la regarder. Le malaise, toujours ce malaise. Qui la ramenait à sa condition d'être à part.

Les petits invités, au début, avaient été impressionnés. Mais l'univers particulier de l'étrange maman de Marie-Papillon faisait vite oublier la difformité de leur hôtesse. Les nombreux meubles à échelle réduite avaient certainement conquis l'imaginaire des enfants. Une maison de poupée fascine à coup sûr.

La maman de Marie-Papillon, *Madame Hibou*, pour ceux qui connaissaient son émission de cartomancie à la télé communautaire, faisait un peu plus de quatre pieds. Une grande naine, si on pouvait dire. Mais une naine tout de même. De surcroît versée dans l'ésotérisme. Ce qui pouvait expliquer que la moitié des parents des enfants de la maternelle avait décliné l'invitation à venir fêter l'anniversaire de naissance de Marie-Papillon. « Marie-Papillon »… Quel drôle de nom à donner à cette pauvre enfant, faut être un peu bizarre, non ?

Madame Hibou plaça les restes du gâteau dans un contenant *Tupperware* qu'elle rangea au réfrigérateur. Comme si la maison allait continuer d'exister le lendemain. Elle jeta à la corbeille les papiers d'emballage, de même que les chapeaux pointus en carton. Puis, elle rassembla dans une grande boîte les cadeaux qu'elle placerait plus tard au pied du lit de sa fille.

Sa fille, elle l'aurait vue heureuse à cette occasion, à cette ultime occasion. Entourée de ses amies de l'école. Et sans son père surtout, le géniteur, l'Arabe, comme elle l'appelait depuis leur séparation. Quel destin ironique pour une femme faisant profession de voyance ! Elle, Madame Hibou, la voyante extralucide, n'avait rien vu venir.

Comment aurait-elle pu susciter le désir chez un homme ? Avoir cru un jeune étudiant étranger qui avait prétendu l'aimer dans sa différence, vraiment, c'était ouvrir son cœur à la vermine. Elle n'avait été qu'une facile opportunité. N'avait-il pas trouvé chez elle un logis confortable ? Et gratuit. En se mariant avec elle au bout de quelques mois de fréquentation, n'étaient-ce pas ses papiers de résident permanent qu'il cherchait à obtenir ? Cela sautait aux yeux maintenant. Ses yeux catarrheux d'amoureuse n'avaient pu alors voir la perfidie. Le chat était sorti du sac le jour où elle lui avait annoncé qu'elle était enceinte. Le lendemain, l'Arabe avait filé en douce, en prenant soin « d'emprunter » – comme il se justifierait plus tard – les deux milles dollars de la cassette. Et quelques-uns de ses bijoux les plus précieux. Si l'histoire s'était arrêtée là, Madame Hibou aurait pu s'en remettre sans trop de séquelles psychologiques. Avec l'aide de ses antidépresseurs. Qu'elle oubliait de prendre parfois…

Non, le cauchemar se poursuivait. Voilà que l'Arabe, trois ans après la séparation, se découvrait soudain une vocation de père. Monsieur était devenu ingénieur et il était débarqué un beau matin à la maison, armé d'une liasse de papiers de fonctionnaires : il réclamait Marie-Papillon. Pour s'assurer d'en acquérir la pleine possession, l'Arabe avait obtenu un avis légal selon lequel la mère était déclarée inapte à conserver la garde de l'enfant. On disait en termes polis que Francine Choisy était folle. Son dossier d'ex-psychiatrisée avait été profané, elle ne savait trop comment, et le père s'en était servi pour lui arracher son dernier morceau de bonheur. Il était à parier que l'Arabe voulait amener la petite dans son pays d'Arabes. Pour en faire une Arabe à son image. Et que plus jamais elle ne la reverrait. Elle l'avait foutu à la porte avec sa liasse de papiers. Depuis, les fonctionnaires ne cessaient de la harceler : on viendrait lui prendre sa Marie-Papillon à la fin du mois prochain, juste avant la fête de Noël, comme on percevait un loyer. Ah ! c'était ce que pensaient les bureaucrates. Jamais !

Jamais elle ne permettrait qu'on dénature sa jolie. Qu'on l'avilisse, qu'on la lui vole. Acculée au mur, elle agirait comme il convenait, sans hésitation aucune. L'âme de sa fille la suivrait partout, où qu'elle aille. Marie-Papillon deviendrait un ange gardien, son ange gardien qui l'accompagnerait désormais dans cette nouvelle vie d'errance que le destin lui imposait.

Madame Hibou gravit l'escalier aux marches adaptées à ses courtes enjambées. Elle resta un moment interdite à l'entrée de la chambrette de sa fille. Marie-Papillon dormait déjà, emmaillotée dans ses draps *Sylvestre le chat*. Elle déposa au pied du lit la boîte de cadeaux d'anniversaire. Puis, d'un mouvement vif, elle leva bien haut, aussi haut qu'elle le pouvait, la lame d'un couteau. L'éclair métallique s'enfonça dans le cœur de sa fille. Qui frémit à peine.

Après une courte prière, elle descendit à la cuisine et répandit les accélérateurs.

Lorsque, les larmes aux yeux, Francine Choisy quitta sa propriété à bord de la fourgonnette familiale, l'incendie s'attaquait à la toiture de la maison de campagne.

2 : Les cruautés du sort

C'était un retour inattendu à la violence. Pas possible. À son âge. Quinquagénaire et encore la proie de l'agressivité des autres. Sa vie serait-elle un combat de ruelle jusqu'à la fin de ses jours ? Il se retrouvait de nouveau dans une situation extrême où il devait sauver sa peau. Sa vieille peau maintenant. Et son réflexe de toujours lui revenait. Un réflexe un peu absurde, coquet en un sens : se protéger les dents. Sauver son sourire, le seul charme qu'il se reconnaissait, au risque d'exposer tout le reste de son corps aux coups. Son épaule le préoccupait aussi, tout de même. La plaie laissée par l'opération, encore fraîche, risquait de se rouvrir.

Ses agresseurs s'en donnaient à cœur joie. Un exutoire comme ça, jamais ils n'auraient pu en espérer un aussi exaltant. Une occasion exclusive, ce policier que la Providence mettait entre leurs pattes ! On faisait couler les douches et les robinets pour couvrir ses lamentations. Les coups venaient de toutes parts. Chaque séquence était précédée de cris de jouissance. Les types émergeaient tour à tour d'un coin du brouillard. Le tabassaient. Disparaissaient dans la vapeur en planifiant les prochains coups qu'ils asséneraient.

Saint-Jean n'opposait aucune résistance. Il absorbait les chocs tout au plus. Il savait que c'était peine perdue, que réagir ne ferait que réveiller les instincts meurtriers en latence. Pour l'heure il ne s'agissait que d'un jeu de délinquants consistant à profaner un symbole d'autorité. Saint-Jean était la muraille que l'on couvrait de graffitis, la fenêtre d'une école que l'on fracassait. Tant qu'on en restait là ! D'où la nécessité de se la fermer. De ne pas les chercher. Car un rien pouvait les amener à abattre la muraille, à mettre le feu à l'école.

Ne pas sortir trop amoché de cette incursion dans la pourriture humaine, tel était pour l'instant son objectif. On ne tarderait pas à le libérer. Dans les prochaines heures, dans les prochains jours. Le temps que son avocat réussisse à faire valoir ses droits. Le hic, c'était que quelqu'un, quelque part, étirait les procédures pour lui faire payer l'odieux d'avoir éclaboussé l'honneur du corps policier. Il n'était pas normal qu'il croupisse là, parmi les criminels, à leur merci, sans la protection que son statut particulier nécessitait. Quelqu'un, haut placé, avait souhaité cette raclée qu'on lui servait.

Il ne connaissait pas ses cinq jeunes agresseurs. Ou si peu. Quelques regards hostiles au réfectoire l'avaient mis au parfum. Le barbu au tatouage frontal (l'instigateur de l'embuscade, à l'évidence) l'avait montré du doigt à l'heure de la promenade. Comme bien d'autres détenus qui avaient lu *Le Journal de Montréal* le jour où on l'avait coffré là. Il avait fait la une ! Avec la folle de Rigaud, l'infanticide, qui, elle, courait toujours. Il n'avait pourtant tué personne, lui. Pham s'était suicidé. Suicidé, vous comprenez ? Sui-ci-dé. La seule perte de son emploi aurait dû suffire à le punir pour ses travers sexuels, non ? Encore devait-on prouver qu'il s'était tapé du mignon. Sa défense était bonne pourtant. Au procès, il répéterait, au juge cette fois, qu'il avait soustrait le petit Cambodgien de l'exploitation, voilà pourquoi l'enfant avait été retrouvé chez lui, sans plus. Cela n'avait pas de sens qu'on l'ait jeté en prison. Une fois la caution versée par son avocat, on le libérerait, bien sûr, si la Justice existait toujours dans ce pays…

Saint-Jean encaissa un coup de coude dans l'abdomen.

— On va te fendre partout ! proféra le grand Latino balafré, dévoilant dans le fond de sa main un mini couteau de confection artisanale.

Il ne s'agissait plus d'un jeu. On se souciait peu qu'il crève au bout de son sang. Il tenta de se relever. Une savate, portée à la hanche, le renvoya au plancher. Sa masse adipeuse s'ébranla contre le bas du mur, il sentit l'encoignure broyer le gras de son gros derrière. Il s'assit droit, reprit son souffle, essuya le sang qui coulait dans ses yeux.

Les agresseurs se regroupaient en demicercle, penchés sur sa carcasse, si près que la sueur des corps coulait sur ses pieds.

— Avoue, mon cochon ! ordonna le type chauve et trapu, un rire pervers dans la gorge.

Saint-Jean resta de marbre.

— Avoue, maudit cochon ! insista-t-il, lui décochant une mornifle sur le nez.

— Avouer quoi ? protesta l'ex-policier.

— Ce que tu voudras. Que tu suces des bites de p'tits garçons. Que tu viens dans la bouche des bébés ! Nous autres, on veut juste que t'aies un interrogatoire avant de crever. T'aimais ça, hein, le cochon, interroger des gars comme nous autres ? Avoue !

Coup de genou sur l'arcade sourcilière. Puis, de nouveau, coup de pied à la hanche.

— O.K., les préliminaires sont finis, fit le barbu au tatouage frontal, prenant le couteau du Latino. Maintenant, on veut voir si t'as mangé la pizza ou les *egg rolls* à midi.

Saint-Jean, pris de panique, essaya de se relever. Il patina sur le carrelage, tomba face contre le sol. Deux hommes le saisirent par les aisselles et l'appuyèrent dos au mur. Il se retrouvait nez à nez avec le barbu. Celui-ci, sans cesser de le regarder dans les yeux, plaça la lame de son couteau sous ses testicules.

— Ça va, les *boys*, vous le lâchez ! commanda soudain une voix gutturale en provenance des urinoirs. Évacuez la place !

Les cinq agresseurs pivotèrent sur eux-mêmes. Saint-Jean glissa le long du mur, ses jambes flageolantes ne le supportant plus.

— Va te faire voir ailleurs ! cria le barbu à l'endroit de l'importun.

Un homme de taille moyenne, maigre mais musculeux, fin trentaine environ, émergeait des vapeurs, nonchalant, une serviette multicolore nouée à la taille. Il avait l'air d'un vacancier sur une plage de la Floride.

— Écoute, Lallemand : si tu veux pas qu'on viole ta « poupoune » du salon de bronzage, *pis* sa p'tite fille par la même occasion, t'as intérêt à changer de ton et à faire de l'air. Est-ce que je me fais ben comprendre ?

Le barbu fit un signe de tête résigné. Ses acolytes se tenaient peinards, presque absents. On ne discutait pas avec ce type.

— Fermez les douches avant de partir, continua-t-il, avant qu'on ratatine comme des p'tites vieilles.

Saint-Jean observait son sauveur, en appréciait la prépotence. C'était plus fort que lui, malgré ses vives douleurs, il cherchait à placer un nom sur ce visage revêche, il ouvrait et refermait les tiroirs de ses gros classeurs mnémoniques. Ses agresseurs avaient de sacrées bonnes raisons de ravaler leur bave. L'homme appartenait, ou avait appartenu, aux Hells, ça, il en était certain. De nombreux tatouages mâchuraient ses bras, son torse, son dos. D'abord, la tête de mort ailée, symbole de l'organisation. Puis, sous le poing du *White Power* pro-nazi, les initiales A.F.F.A., signifiant « *Angels Forever, Forever Angels* », ne laissaient aucun doute sur sa filiation.

— Vous voulez me prendre en photo, ou quoi ? Décampez, gang de colons !

Le barbu s'exécuta, suivi de ses copains.

— Les douches ! hurla le Hells.

Le type chauve revint sur ses pas et alla fermer les robinets. Après, il sortit, penaud.

Le motard regardait l'ex-policier en sourcillant :

— T'as l'air de quelqu'un qui cherche à qui il a affaire, non ?

— Je pense avoir trouvé, fit Saint-Jean, non sans fierté : Marc « The Brain » Lahaie, du chapitre de Gentilly, si je ne m'abuse. T'as pris cinq ans pour ton implication dans l'affaire de la voiture piégée de la rue Sherbrooke…

— Impressionnant. Toi, t'es le sergent Saint-Jean. Ou ce qu'il en reste ! Brigade des stups. Mais t'as pas travaillé à l'escouade de la moralité, ça, c'est certain !

Saint-Jean corrobora ces faits d'un hochement de tête.

— Écoute, mon gros, si je suis là à sauver ta peau, c'est pas un hasard, disons. J'ai une proposition à te faire. Et comme t'as pas de job en sortant, et pas avant longtemps, ce qu'on te propose, tu peux pas vraiment le refuser. *Anyway*, on se reparle de ça demain au dîner. En attendant, bouge pas de là, t'as besoin de l'infirmier pour te faire recoudre la viande.

The Brain quitta les lieux.

Saint-Jean ne tenta pas de se relever, il attendrait les premiers soins allongé sur le carrelage. Il passa sa langue sur ses dents, esquissa un sourire niais : elles y étaient toutes !

Le départ hâtif des outardes vers le sud, l'épaisseur des pelures d'oignon, la hauteur excessive des nids de guêpes dans les branches, ou encore les prédictions publiées dans *L'Almanach du peuple* : tout et tous avaient vaticiné un hiver rigoureux, et précoce. Eh bien ! pourtant, il se faisait attendre, l'hiver. Décembre et pas un flocon au sol. Seul le froid avait été prématuré. Les herbes opalescentes, fragilisées, cristallisées, cassaient sous ses pas, comme si on les avait arrosées avec de l'azote liquide. Les feuilles d'érable, arrachées durant les bourrasques d'automne, détonnaient dans la grisaille des sous-bois, taches

vermeilles, orangées, jaunâtres, emprison-
nées dans les flaques d'eau et à la surface des
étangs gelés.

Le jour déclinait. Déjà. La lune, pellucide,
chassait le soleil dans une tranchée de nuages
qui gommait l'horizon. Dans moins d'une
heure, il ferait noir. Sans la blancheur de la
neige, on n'y verrait plus rien. Il fallait penser à rentrer.

Vêtu de son éternelle chemise à carreaux
doublée de mouton, de son pantalon de ca-
mouflage, chaussé de ses bottes Kodiak en
cuir roide, un calibre .20 sous le bras, une
gibecière en bandoulière, il revenait du bout
de la terre boisée, le domaine acéricole des
Dubois, vieux de quatre générations.

Une érablière à l'abandon. À la mort du
paternel, sa mère avait préféré investir l'argent de l'assurance-vie dans un commerce
d'antiquités plutôt que de perpétuer la tradi-
tion. Benoît avait prié pour que l'affaire crève
dans l'œuf. Retaper toute cette brocante, enfer-
mé comme une bête dans l'établi, cela l'avait
écœuré dès le début. Malheureusement, le
prolongement de l'autoroute 40 avait traversé
un jour l'extrémité nord de la terre et sa mère
avait été grassement dédommagée par le gouvernement. De sorte que, indépendante de
fortune, elle continua d'exploiter cette affaire qui couvrait tout juste ses frais. Pour son
plaisir, uniquement, au grand désespoir du

fils unique. Sa vie d'homme, Benoît Dubois l'avait passée dans cette maison centenaire, érigée à l'écart des autres, en compagnie d'une mégère autocratique qui le considérait comme un simple employé. Jamais elle n'accepterait qu'il entre dans les Forces armées canadiennes, comme il en rêvait depuis toujours. À cause de sa mère, il en avait respiré, des vapeurs de colle, de vernis et de décapant. Seules consolations : la chasse au petit gibier, ses lectures sur le Moyen Âge, ses visites des sites paramilitaires américains.

Travail solitaire. Vie solitaire. Il n'avait jamais eu d'amis. Sa timidité y était pour quelque chose. Toutefois, la cause première de son isolement, c'étaient ses glandes. Dubois puait la merde. Sa pestilence, selon ses théories à lui, tenait moins de son épiderme de rouquin que de l'anxiété qui l'avait toujours habité. Enfant, sa mère l'obligeait à prendre plusieurs bains aromatisés par jour. Rien n'y faisait, il suintait du fiel. À l'adolescence, on l'avait rejeté des équipes de base-ball et de hockey du village. Sa sueur acide incommodait ; les autres adolescents ne manquaient pas de feindre l'évanouissement en sa présence. Benoît La Mouffette avait croupi dans les gradins à regarder les Veilleux, Dessureault, Crête, Gendron marquer des points, adulés par les filles du village venues les admirer, eux, les héros de son enfance manquée.

Un froissement d'ailes le sortit de ses pensées. Il tira, fit mouche, et revint à sa jonglerie du moment.

Quand il voulait s'étourdir, ce n'était pas dans les manèges de la foire agricole qu'il allait chercher ses sensations fortes. Ses jongleries suffisaient bien. Il cherchait la source de cette anxiété qui le rongeait. Quelque chose lui échappait. En fait, TOUT lui échappait. Il avait l'impression de vivre en banlieue de sa propre personne, d'avoir quitté dès le Début la trajectoire prévue par son Créateur, de déraper sans fin loin de la voie pavée. Non mais ! Il méritait mieux que cette vie stupide ! C'était dans un pays lointain qu'il aurait dû se trouver en cet instant précis, sous l'égide de l'O.N.U. peut-être, à buter non pas des oiseaux, mais des hommes, calvaire ! des terroristes islamistes !

Il contourna la cabane à sucre délabrée, toujours debout malgré un quart de siècle de décrépitude parmi les plantes grimpantes qui couvraient ses flancs. Défiant la gravité, la construction rustique, dont les planches pourries achevaient de se détacher de la structure affaissée, gîtait de quarante-cinq degrés sur sa façade, si bien qu'il aurait fallu se pencher pour franchir l'entrée si l'idée mal avisée en était venue à quelque étourdi. Derrière la ruine, un grand trou avait été creusé par Dubois pour y enfouir ses trophées de chasse.

Sa mère détestait qu'il tue des oiseaux autres que les perdrix. Et Dubois se devait de tuer, perdrix ou non. Cette journée-là, il n'en vit aucune, mais il ramenait une pleine gibecière de dépouilles : un geai bleu, des jaseurs des cèdres, quelques mésanges, autant d'ennemis imaginaires et de personnifications, abattus pour libérer un trop-plein de frustration. Autant de victimes, jetées une à une dans la fosse (le charnier d'Auschwitz, l'appelait-il), grossissant le nombre déjà impressionnant des dépouilles qui, sous l'effet du gel, s'étaient soudées les unes aux autres en un pain compact de lambeaux emplumés. Celui qui avait été identifié à Lefebvre, le geai bleu, tremblait de l'aile sur le tas, agité par les spasmes de l'agonie. Dubois chargea le magasin du fusil de deux cartouches de chevrotines double zéro, pressa sur les deux détentes, le réduisit en une bouillie fumante.

Il reprit le chemin du retour, l'humeur ronchonne. Il pensait soudain à ce foutu bahut qu'il n'avait pas fini de décaper ; un client de Joliette devait en prendre possession le lendemain. Au sortir du boisé enténébré, il remarqua que le pick-up ne se trouvait pas dans l'aire de stationnement. Sa mère n'était pas revenue de sa tournée mensuelle des marchés aux puces du comté. C'était l'occasion de fouiller dans ses papiers personnels.

Les visites de plus en plus fréquentes de la cousine Béatrice et les appels du notaire, ces derniers temps, lui faisaient appréhender une intrigue familiale. Des intuitions corrosives le motivaient à ouvrir la boîte de Pandore. Il savait sa mère atteinte d'une maladie compliquée, quelque chose de dégénératif et d'implacable selon les bribes de conversation saisies au passage, alors que les deux femmes discutaient ferme à la cuisine. Béatrice, la filleule vieille fille, était la personne de confiance de sa mère, sa confidente, sa préférée. C'était elle qui préparait les déclarations de revenus de l'entreprise maternelle. Elle agissait comme conseillère en toutes choses. Depuis qu'il savait sa mère condamnée, il percevait sa cousine comme une menace. Le déshériterait-on ? Il en aurait le cœur net en lisant le testament. S'il se trouvait, comme il le pensait, dans le coffret.

Dubois passa par la porte arrière, déposa son fusil sur la table de la cuisine, puis monta directement à l'étage. La chambre de sa mère était verrouillée. Il sortit de sa poche un canif suisse et, en un tournemain, força la rudimentaire serrure.

Cette effraction le transformait en écolier rebelle. C'était comme franchir, à l'insu du gardien, le cordon interdisant l'accès à la pièce d'un musée. Elle ressemblait d'ailleurs à un musée, la chambre de sa mère. Il en était à sa cinquième visite depuis la mort de son père et, en deux décennies, pas un meuble n'avait été remplacé ou même déplacé. En entrant, il s'attarda aux portraits de son paternel, posés sur la table de nuit, pour tenter de déceler dans ce visage rieur quelques traits dont il aurait pu hériter.

Cette fois-ci, plus résolu que jamais, il ne se limiterait pas à une bénigne excursion du regard ; il profanerait le coffret placé sur le secrétaire. Loin de se douter que sous l'épais couvercle en bois sculpté attendait le trou noir qui aspirerait sa raison.

3 : Chicanes de famille

Deux chocs successifs d'une grande magnitude à l'échelle psychotique. Un premier, déstabilisateur. Et un second, dévastateur. D'abord, le testament de Yolande Dubois. Sous ses yeux, l'avanie se trouvait confirmée. Un seul nom était inscrit dans l'acte notarié, maintes fois répété, celui de la cousine Béatrice, sacrée légataire universelle. Puis cet autre document, jauni, rédigé à la machine à écrire. Son passeport pour les limbes :

Madame,
Nous attestons par la présente avoir communiqué à la mère biologique de votre enfant votre refus de rendre accessible à celle-ci l'information relative à la filiation légale.
Conformément aux articles du Code civil en cette matière, « l'adoption confère à l'adopté une filiation qui se substitue à la filiation d'origine ». Selon vos souhaits, l'information demeurera la propriété exclusive du Ministère tant que vous n'accorderez pas votre assentiment au parti biologique requérant. De plus, vous n'êtes pas tenue de divulguer à l'enfant sa nature d'adopté, ceci

pour favoriser la légitimation des liens entre l'adopté et les adoptants, ou encore d'informer l'adopté des démarches entreprises par la demanderesse.

Toutefois, si vous changiez d'avis, il vous sera toujours possible de communiquer avec le Ministère. Dans cette perspective, il serait important d'indiquer le numéro du dossier : DUBB 7992.

Il n'avait jamais été Benoît Dubois ! Étrange, ce mélange de colère et de vertige omniscient. Il jouissait dorénavant de l'immunité cosmique. Des frissons le parcouraient. Un accès de lucidité l'affranchissait du coup de ce qui l'avait caractérisé depuis toujours. Ainsi classé au ban de l'univers, il pouvait abattre les décors, éliminer les hologrammes, tout se permettre, comme un rêveur révolté contre un onirisme trompeur et humiliant. Il débusquerait les responsables de la supercherie et leur ferait payer l'odieux de l'avoir dénaturé, tel était maintenant le nouveau sens que prenait sa vie.

Il plia la lettre du Ministère, la glissa dans la poche arrière de son pantalon. Il fit une grosse boulette avec l'acte notarié. Prit le coffret, le lança au fond de la chambre. Le projectile fracassa l'armoire vitrée protégeant une collection d'assiettes ornementales. Armé du portemanteau, il s'attaqua au reste du mobilier. Impression enivrante de prendre les choses en main pour la première fois ! Il balaya les portraits de son père. Coupable, le chien ! Coupable, comme tous ceux qui savaient et qui ne lui avaient rien dit. Coupable, la cousine Béatrice ! Coupable, Yolande Dubois, l'usurpatrice qui se faisait passer pour sa mère, qui gardait le secret pour en faire son domestique servile ! Le portemanteau traversa la pièce comme un javelot et transperça l'arbre généalogique des Dubois accroché au mur attenant à la salle de bains. Le projectile resta planté au centre de la cible, fiché dans le plâtre friable. Cette vision eut l'heur de l'enfiévrer et il poussa un rire de hyène. Une salive gommeuse pendait à son menton lorsqu'il baissa les bras, fourbu, la respiration sibilante, le cœur tambourinant.

Il quitta la chambre saccagée. Le jour agonisait, la veilleuse en forme de sainte Vierge branchée au bout du couloir rayonnait dans la pénombre. Il descendit à la cuisine, alluma le lustre. Son fusil trônait au milieu de la table, posé entre le plat de fruits en plastique et un catalogue de Noël de chez *Sears*. Il enfonça la main dans l'une des nombreuses poches de sa chemise à carreaux, en sortit une pleine poignée de munitions, qu'il jeta sur la table. Il s'assit, classa les projectiles cylindriques par couleur, hésita, puis choisit une douille de gros plombs et une cartouche de chevrotines appelée *slug* dans le jargon des chasseurs de gros gibier. Il ouvrit le magasin du .20, logea les deux cylindres dans le double canon et remit l'arme en place, couchée sur le côté, la mire pointée vers l'entrée principale. Il se leva soudain, comme un automate électronique qui viendrait de percevoir un signal, se dirigea vers le réfrigérateur, qu'il ouvrit. Il choisit un pot de langues de porcs marinées. Il revint à la table, reprit son siège et enfourna une à une les langues dans sa bouche en feuilletant le catalogue, sans vraiment prêter attention aux images qui défilaient sous son regard éteint. L'horloge grandpère rythmait l'attente.

Il s'était quelque peu assoupi, quand il entendit un bruissement de pneus sur le gravillon gelé. Il reconnut le son arythmique du moteur diesel du pick-up. La lumière des phares lécha les carreaux de la fenêtre. Grincement du frein de sécurité, claquement de portière, puis bruits de pas sur la galerie. Elle ouvrait la porte moustiquaire ; il posait le doigt sur les détentes.

Sa mère poussa la porte intérieure d'un coup d'épaule et s'arrêta sur le seuil, embarrassée par un sac d'épicerie duquel émergeait une touffe de céleri. Ses lourdes lunettes à monture dorée étaient embuées, mais elle l'aperçut tout de même attablé en face d'elle :

— Il y a quatre autres sacs dans le pick-up, ordonna-t-elle. Après, tu vas éplucher les patates : Béatrice s'en vient souper avec nous autres.

Lorsqu'elle déposa son sac sur le calorifère, elle remarqua le fusil sur la table, puis le regard farouche de son fils posé sur elle, menaçant.

— Je t'ai dit de pas rentrer ton fusil dans…

Le coup de feu fit vibrer la maison entière. La vieille dame tomba assise, adossée au mur, une jambe repliée sous sa masse, le manteau déchiqueté, le bassin criblé de plombs. Des triangles de verre ensanglantés se détachaient de la bordure de la porte vitrée. Dehors, Riqui aboyait à s'en fendre les cordes vocales.

Benoît Dubois se leva, porta la crosse à son épaule, visa, fit fleurir la poitrine de l'agonisante. Un magma de chairs sanguinolentes éclaboussa le calorifère. Le sang ruisselait sur le mur. Partout, des taches semblables à des araignées allongeaient les pattes vers le bas, maculaient le papier peint d'un rouge luisant.

Il déposa l'arme fumante sur la table, reprit une autre langue dans le pot, l'engloutit. Puis, il rechargea le fusil de deux autres cartouches. Étant donné que Béatrice s'en venait.

— Je m'accuse !

Francine Choisy n'aurait su dire depuis combien de jours (ou de semaines) elle macérait dans l'obscurité du sous-sol du Temple. Enchaînée comme une bête de foire à l'un des pieds du réservoir d'huile à chauffage. La jambe emprisonnée dans un anneau de fer, qui la blessait au mollet, lorsqu'on la brutalisait. Thérapie d'humiliation. Réduite à chier dans un seau. À manger avec ses mains des aliments presque liquides. Lavée à grande eau avec le boyau d'arrosage. Pour la punir d'avoir abandonné l'Ordre. Après tout ce temps ainsi claustrée, il lui semblait qu'elle avait expié ses fautes, sa faute, LA faute. Pourquoi ne la laissait-il pas monter ? Elle s'en voulait sincèrement d'avoir décidé de mener sa vie à elle. Alors pourquoi poursuivre la torture si elle regrettait maintenant ?

— Je m'accuse ! cria-t-elle encore, les yeux rivés au plafond, dans l'attente d'un signe.

Sa voix nasillarde de personnage de dessins animés se perdit dans le vide de la pièce. On n'entendait que le flop sourd des gouttes d'eau qui s'échappaient d'un conduit et s'écrasaient sur une pile de journaux décomposés. Plus aucune lumière ne filtrait entre les planches barricadant le soupirail. La journée avait passé sans qu'on vienne lui porter sa bouillie de légumes. Elle se coucha en chien de fusil sur le ciment froid, emmitouflée dans sa couverture puante, et tenta de s'endormir pour fausser compagnie à la faim.

Un grattement, puis un grincement de pentures la tirèrent de sa prostration. On ouvrait la trappe. Trois traits lumineux découpèrent le plafond et, incandescent, un carreau de clarté agressa ses rétines. L'échelle fut descendue. Des pieds trouvèrent à tâtons un appui sur l'échelon supérieur. Un corps nimbé de feu apparaissait sous l'ouverture, tel l'androïde s'extirpant du ventre de l'ovni. C'était Caïn, son maître. Descendu nourrir sa naine infidèle.

— Caïn, fit-elle d'un ton suppliant.

Un grand homme squelettique, au visage enfoui dans une barbe de patriarche, s'avançait vers elle, un bol dans la main. Il s'arrêta puis, sans mot dire, déposa la pitance au sol. Son maître ne lui avait pas adressé la parole depuis son arrivée à la ferme, depuis qu'elle s'était elle-même jetée dans la gueule du loup. Après deux jours d'errance sur les routes de la province, elle s'était décidée à retourner à son foyer d'accueil. Erreur funeste ! Aussitôt qu'elle avait mis le pied hors de sa fourgonnette, on s'était précipité sur elle, on l'avait rouée de coups, jetée aux oubliettes. Elle croupissait là depuis, encroûtée dans ses loques, à attendre que son geôlier daigne l'informer de ses intentions.

— Caïn… dis-moi quelque chose !

L'homme simula de partir, fit volte-face et s'adossa à une colonne de vieux pneus. Il était ivre : il parlerait.

— Tu nous as fait très mal, Francine, déclara-t-il, la voix pâteuse. On était ta famille, la seule que t'aies jamais eue. On t'a permis de développer tes dons et après, tu nous laisses tomber pour aller faire de l'argent avec tes services médiumniques. Madame Hibou décide d'oublier ses frères et sœurs. Madame Hibou décide de fonder une autre famille dans la belle société de consommation. Sans prendre la peine de nous donner la moindre petite nouvelle ! Et une fois dans la chiasse, Madame Hibou vient cogner à la porte du Temple. Le retour de l'enfant prodigue qui veut qu'on tue le veau gras pour elle ! Non, c'est trop facile, Francine.

— J'ai de quoi vous dédommager, Caïn. J'ai de l'argent de côté : ça va nous aider…

— Ta gueule ! hurla le gourou. Il n'y a plus de *nous*. Tu n'es plus avec *nous*. Il n'y aura plus jamais de *nous* pour toi, maudite profiteuse ! Tu ne vas pas sortir de la cave ! Jamais !

Caïn chercha du regard quelque chose derrière lui. Trouva une pelle en aluminium. La saisit. Il s'avançait vers la prisonnière, la mine patibulaire. Elle n'eut pas le réflexe de lever le bras pour se protéger. Le tranchant de la pelle l'atteignit à la tempe. Son corps de gnome donna violemment contre le réservoir et produisit un son de gong fêlé. Elle s'affaissa au sol et attendit, figée comme une morte, que son maître retourne au rez-de-chaussée. Quand la trappe fut refermée et que de nouveau les ténèbres l'enveloppèrent, la naine toucha à son oreille. Une partie du lobe avait été tranché. Elle déchira dans sa couverture un lambeau et s'en fit un bandeau. À l'aveuglette, elle chercha de la main le bol de bouillie. Le trouva. Soulagement : il n'avait pas été renversé !

Tout en mangeant goulûment, elle médita sur son sort, résolue à n'écouter désormais que sa voix intérieure, celle de Marie-Papillon. Qui l'implorait de briser ses chaînes à l'aide de la cuillère laissée en extra avec son bol de bouillie.

Benoît Dubois trouva dans l'unique tiroir de la table de la cuisine un bloc-notes et un stylo. De son écriture maladroite, il s'employa à dresser la liste des effets qu'il apporterait dans sa croisade contre les fumistes de ce bas monde. Il devait tout mettre en œuvre pour tenir le plus longtemps possible contre les créatures que lui enverrait le Grand mystificateur. C'était ainsi qu'il désignait, à défaut de le connaître encore, le responsable de son aliénation, celui qui tirait les ficelles de la supercherie dont il était la victime, ou l'une des victimes.

Un vrombissement de moteur le fit sursauter. Quelqu'un arrivait. Regard furtif entre les lattes du store : ce n'était pas le véhicule de Béatrice. De longues bandes de nuages gazaient la lune, s'imbibaient de sa lumière sereine. Riqui se remettait à aboyer de plus belle.

Une vieille Ford s'immobilisa à côté du pick-up. Il reconnut la camionnette du client de Joliette, en avance pour prendre possession du bahut. Sans tarder, il irait à sa rencontre pour éviter qu'il n'arrive sur la scène du crime.

Dubois fit de la lumière sur la galerie, enjamba le corps de sa fausse mère et sortit. Le client s'extirpa de l'habitacle de la camionnette en maintenant d'une main son chapeau de cow-boy sur son crâne, car un vent, glacial, se levait soudain.

— Salut ! cria l'homme à la vue du brocanteur. Cette fois, ça va y être, on dirait bien.

Dubois s'amena vers lui, lui serra la main.

— Vous dites ?

— La neige ! Ils ont annoncé trente-cinq centimètres pour cette nuit, précisa l'homme.

Des flocons épars commençaient à tournoyer dans l'air.

— Je revenais de Québec, expliqua le client, et je me suis dit que je pourrais peut-être prendre mon meuble en passant. Même si je suis venu une journée plus tôt…

— J'ai pas fini de le décaper.

— Pas grave. Je peux faire ça moi-même.

— C'est comme vous voulez.

Dubois se dirigea vers la grange faisant office d'entrepôt. Le client lui emboîtait le pas, bavard, et continuait de parler de la météo. Ils déposèrent le bahut dans la boîte de la camionnette. Dubois avisa l'homme que le commerce serait fermé pour l'hiver.

Pinçant le rebord de son chapeau en signe de salut, le client remonta dans sa Ford et démarra. Le pinceau des phares emperla de mille yeux la campagne givrée. Les lucioles rouges des feux arrière s'évanouirent au loin, en bordure du fleuve, dans un bringuebalement de caisse.

Dubois retourna à la table de la cuisine, soulagé que sa cousine ne se soit pas manifestée pendant le passage du visiteur.

Il eut tout juste le temps de bouffer les dernières langues de porc. Un autre véhicule s'amenait.

Quand elle se présenta à l'entrée de chez sa marraine, la cousine Béatrice donna du fil à retordre à Benoît Dubois. Il aurait pu l'abattre dès qu'elle se serait montré le bout du nez sur la galerie. Il préféra offrir à la vieille fille le spectacle de sa tante massacrée. Elle ne figea pas devant la scène, prit tout de suite ses jambes à son cou. Lorsqu'elle eût sauté de la galerie, il lui mit une décharge de plombs dans le cul. La vache continua de s'enfuir vers la route, claudiquant. Elle échappait de petits cris stridents, identiques à ceux qu'elle poussait quand, gamin, il l'aspergeait avec son fusil à eau. Il eut peine à la rejoindre dans l'obscurité, dut laisser tomber son .20 dans la poursuite pour faciliter sa course. Il la perdit de vue pendant quelques secondes. La retrouva semi-consciente dans le fond du fossé bordant la 138, enfoncée dans les branches épineuses d'une aubépine, le visage zébré d'entailles profondes. Il tenta d'abord de l'étrangler. Constatant qu'il n'avait pas le doigté, qu'elle respirait toujours, il lui fendit le crâne avec un gros caillou. Après, il ramena son corps famélique au bercail en le traînant par un bras.

Cette nuit-là, il dormit comme un poupon. Il rêva qu'il était Spartacus l'Affranchi, qu'il abattait les mirages avec son glaive à faisceau désintégrant. Dehors, le paysage se décolorait.

4 : La saison morte

Ah ! Comme la neige avait neigé ! Une épaisse couche immaculée, aveuglante sous les feux de l'aurore, recouvrait dans ses moindres recoins la vallée, à perte de vue. Les piquets de clôtures encapuchonnés graduaient les terres, donnaient l'illusion qu'elles étaient plus profondes encore. Les toitures des bâtiments, gommées, se confondaient avec la blancheur des collines. Carte postale en noir et blanc. Tachée d'un seul point coloré : Spartacus l'Affranchi sortait de sa tanière. Désormais, c'était ainsi qu'il se nommerait.

Il fit quelques pas sur la galerie. Ses semelles imprimèrent des hiéroglyphes dans la neige. L'air était humide. Il inspira profondément, comme un skieur avant la descente, exhala de ses narines une vapeur dense qui s'effilocha au vent. Le corps de Béatrice, contorsionné, reposait sur les bûches cordées le long de la maison. Un masque de sang gelé souillait la face de la victime, accentuait son rictus de gargouille effrayée.

Il hissa la dépouille raidie sur ses épaules, la jeta dans la boîte du pick-up, parmi les sacs

d'épicerie. Il fit de même avec le cadavre éclaté de Yolande Dubois. Il déneigea de ses
avant-bras le pare-brise du véhicule, prit place
à bord et démarra.

Petit corbillard va loin. À travers le ver-
ger, le pick-up gravit difficilement le chemin
pentu et boueux qui menait à l'érablière abandonnée. Des pommes brunes, ratatinées, pendaient aux branches dénudées des arbres,
fruits déconfits de l'éden hivernal, offerts aux
corbeaux itinérants.

Il arrêta bientôt le véhicule près de la cabane à sucre délabrée. Sa première idée avait
été d'inhumer les deux femmes dans le charnier d'Auschwitz, parmi les oiseaux morts.
La terre gelée l'en dissuada. Il pensa alors au
petit lac à l'extrémité de la terre. D'ailleurs,
pourquoi ne pas se débarrasser du pick-up
de la mégère ? Ce serait dans le confort du
4 X 4 neuf de Béatrice que Spartacus affron-
terait les suppôts du Grand mystificateur.

Il emprunta un sentier à peine carrossable
et, chemin faisant, fit détaler une famille de
lièvres au pelage encore marron. Il regretta
de ne pas avoir apporté une arme. Puis se dit
que l'époque des enfantillages était terminée.
Que le gibier qu'il abattrait les jours suivants
rapporterait beaucoup plus de points de vie.
En fait, à combien en était-il rendu avec l'éli-
mination de l'usurpatrice et de sa collabo ?
Il aurait aimé voir le score clignoter dans son

champ de vision, comme sur l'écran cathodique de la machine du bar ! Quoi qu'il en
soit, jamais auparavant il ne s'était senti aussi
rechargé.

Il s'immobilisa au sommet du piton
rocheux surplombant le petit lac. Le plan
d'eau gelée était strié de vaguelettes de neige,
de sorte qu'il était bien malaisé d'évaluer de
visu l'épaisseur de la glace. Pourvu qu'elle
cède sous le pick-up...

Il attacha aux pieds des victimes de gros
sacs remplis de calcium, puis poussa le véhicule vers la pente.

— Calvaire ! jura-t-il soudain, appuyé
contre le pare-chocs arrière. Les clefs du 4 X 4 !
Les clefs du 4 X 4 !

Le pick-up commençait à dévaler la côte
vers le lac. Spartacus sauta in extremis dans
la boîte, reprit son équilibre, puis se mit à
fouiller les poches de Béatrice. Le pick-up
prenait de la vitesse, ébranlé dans la descente
par de gros cailloux disséminés sous la neige.
Il trouva les clefs dans le pantalon de la morte
et se jeta tête première hors de la boîte. Il roula
dans la pente jusqu'à ce qu'un pin rabougri
veuille bien l'arrêter à quelques mètres du
lac. Couché sur le nid d'aiguilles, il suivit la
progression du véhicule lancé à vive allure
sur le lac. La glace céda sous les roues. Nez
devant, le pick-up s'enfonçait corps et biens
dans les eaux noires. Dans quelques jours, la

nature aurait effacé toute trace de son premier exploit.

Il revint à pied au bercail. Le reste de l'avant-midi, il nettoya les lieux du massacre. Il barricada d'un panneau de contreplaqué la porte fracassée. Il transféra toutes les conserves de la cave dans le 4 X 4 de Béatrice. Sélectionna quelques armes, dont son .20 à deux canons et un pistolet de calibre .22. Il cloua l'affiche *FERMÉ* sur l'enseigne du commerce, à l'entrée de la propriété. Après quoi il jugea avoir droit à un petit-déjeuner au resto *Chez Ginette*, au « centre-ville ».

Conscient qu'il n'y reviendrait sûrement jamais, Spartacus quitta le domaine des Dubois vers les 11 heures. Il était ravi de piloter un 4 X 4 de l'année, son compagnon d'aventures, aussi essentiel à ses yeux qu'une bonne monture à un preux chevalier. Sa vie nouvelle commençait à cet instant même. Tous les mirages devaient être détruits jusqu'au recouvrement de sa dignité. Ou jusqu'à ce qu'on le stoppe dans sa croisade pour qu'enfin il quitte les limbes, l'âme tranquille et libre. Il se savait très dangereux, puisqu'il niait la totalité de ce qui l'entourait. Plus rien n'avait d'emprise sur lui. Seuls ses actes seraient vrais. Le reste n'était que mensonge et mise en scène. Les décors seraient abattus, de même que les comédiens, surtout les antagonistes qui auraient le malheur de le rencontrer en chemin. Il était l'heure de démasquer l'auteur de cette fumisterie dont il avait fait les frais sa vie durant.

Son arrivée *Chez Ginette* fit sensation auprès des clients attablés à la banquette du fond. Des habitués : Bébert, le père Gendron et son fils débile, Tit-Coq aussi, tous bûcherons de leur état. À part ceux-là, un seul autre client dans l'établissement, un camionneur de passage, assis au comptoir, sirotait son café avant de reprendre la route.

— *Coudonc* ! lança Tit-Coq, la pipe au bec. Qui est-ce qui a ouvert la cage de La Mouffette ?

Spartacus ignora l'insulte et alla s'asseoir sans mot dire près des fenêtres, à l'autre bout du *truck stop*.

— Hé ! tu pourrais nous saluer, La Mouffette ! fit Bébert.

Spartacus se leva net de son siège, comme propulsé par une force invisible. Il se rendit à la banquette de ses interlocuteurs, empoigna Bébert par le collet. Les autres restèrent figés. Le regard de La Mouffette avait la profondeur du gouffre. On aurait dit un condamné à mort affranchi de tout instinct de conservation.

— Pogne pas les nerfs, glapit Bébert, la voix éteinte.

— C'est pas La Mouffette, mon nom, le rectifia le brocanteur.

— O.K., O.K., ça va, oublie ça, j'ai rien dit.

Spartacus réprima le désir de les tuer tous : de plus grandioses desseins l'attendaient. Inutile de brûler de l'énergie pour d'aussi médiocres adversaires. Il libéra Bébert de sa poigne et revint à la banquette près des fenêtres. Le camionneur cessa d'épier la scène et Ginette vint lui offrir le menu, l'air effarouché.

Il commanda deux œufs au miroir, du bacon et des patates rissolées, deux *ordres* de toasts et un café. Qu'il prit noir avec un peu de sirop de maïs.

Saint-Jean avait embrassé la carrière de policier pour s'élever au-dessus des autres. Pour s'octroyer à son tour le droit de surveiller, d'intimider, de punir. Il avait compris, au fil de ses pérégrinations à l'orphelinat, en foyer d'accueil, puis à l'école de réforme, que le monde appartenait aux prédateurs. Après avoir été humilié par les religieuses, abusé par son tuteur, puis brutalisé par les agents de réinsertion, il avait fait un pied de nez au destin en empruntant la voie du pouvoir. L'avorton abandonné ne retournerait pas à la ruelle grossir le nombre des laissés pour compte. Il avait vendu sa haine à l'ordre social en infiltrant des milieux, il avait traqué, tel un guide iroquois à la solde du colonialiste, les malfrats de sa race, les mal-aimés, pour gagner sa place dans les rangs des maîtres. Le loup était devenu chien de chasse. Promotion après promotion, la bête en avait oublié ses origines, persuadée d'appartenir au noble chenil des pointers. Puis, le naturel avait repris le dessus. Le loup avait recommencé à enculer les petits chaperons rouges. Le jour où sa nature perverse avait été dévoilée, il avait été retourné au ban de la société, rejoint par son destin de bâtard désaxé.

Saint-Jean ressemblait à un chien battu, encore moulu par la raclée qu'il avait reçue à la prison, transi dans son imperméable fripé. Il était sorti en matinée ; son avocat avait obtenu qu'on le libère sous caution jusqu'à la tenue de son procès. Sans trop évaluer les conséquences de son geste, il avait appelé un taxi et, avec l'argent que lui avait donné The Brain, s'était rendu au chapitre des Hells. Le chauffeur n'avait pas dit un mot de tout le parcours, près de deux heures de route jusqu'à Bécancour, mutisme explicable par la destination et l'allure peu rassurantes de son client contusionné. Il se retrouvait au milieu de nulle part, au-devant d'un bâtiment imposant planté dans un champ enneigé. Seul autre signe d'occupation : au loin, la silhouette grisâtre d'une centrale nucléaire, auréolée de smog rosé.

Les Hells Angels étaient la seule organisation criminelle à avoir pignon sur rue. Et quel pignon ! Le repaire, aussi spacieux qu'un motel, avait l'aspect d'une forteresse pseudo-médiévale avec son crénelage grossier découpé dans le mur de façade. Un château *Fisher Price* géant ! Une tourelle rectangulaire, au sommet de laquelle claquait le drapeau de l'organisation, dominait l'ensemble. Placées au haut de la muraille enceignant le domaine, des caméras de surveillance scrutaient les alentours déserts.

Il n'eut pas à signaler son arrivée. Aussitôt que le taxi se fût éloigné, les énormes portes de la muraille s'ouvrirent d'elles-mêmes vers l'intérieur. *Alea jacta est*, l'inspecteur Saint-Jean venait de passer du côté du Mal. En dépit du recel de drogue auquel il s'était adonné et du plaisir qu'il avait toujours éprouvé à tabasser les jeunes trafiquants ; malgré tous les garçonnets qu'il s'était tapés ces quinze dernières années, l'homme était habité par une forme de manichéisme culpabilisant inculqué par les sœurs qui l'avaient éduqué dans sa prime jeunesse. La notion de péché le tiraillait : c'était le tribut de sa perversité, de son agressivité. Sa défection de l'ordre social vers le haut lieu de la criminalité brusquait les valeurs qu'il croyait avoir.

Un jeune homme barbouillé d'huile vint à sa rencontre. Il ne portait pas les couleurs des Hells. Saint-Jean comprit qu'il s'agissait d'un aspirant motard, un *ti-cul*, selon le jargon hiérarchique du gang, recruté pour accomplir les basses besognes en la demeure. Une dizaine de Harley neuves, qu'il astiquait en vue de les remiser, étaient alignées dans le garage attenant au chapitre. « C'est l'écuyer qui m'accueille », pensa l'ex-policier.

— T'es le détective ? demanda le garçon.

— Oui, répondit Saint-Jean, sans savoir pourquoi on le qualifiait ainsi.

— Big Boss t'attend dans ses « apparts » au deuxième. L'entrée, c'est là.

— Merci.

Il passa entre deux Mercedes noires garées dans la cour et se rendit à la porte désignée par le postulant. Il pénétra dans un vestibule où il faillit trébucher sur le corps d'un homme en complet, allongé sur le dos, inconscient. Réflexe vain, il se surprit à chercher son .38 dans le pan intérieur de son imper. Il y avait pourtant longtemps qu'il ne s'y trouvait plus.

Un grand type aux cheveux tressés émergea du salon. Celui-là, c'était un membre en règle. Il portait un pantalon de cuir et une veste ouverte qui dévoilait de nombreux tatouages délavés par le temps. Sur son vêtement, un écusson à tête de mort ailée témoignait de sa filiation avec le gang. Il avait le regard ensommeillé, le visage parcheminé, comme s'il venait de quitter les draps de son lit.

— Fais comme s'il était pas là, fit le motard, c'est maître Belhumeur, not'avocat. Il a pris un verre avec nous autres et il porte pas ça. Regarde comment on réveille ça, les maudits parasites...

Le type baissa sa braguette et pissa sur le disciple de Thémis.

— Traverse le salon, poursuivit-il sans interrompre son jet, l'escalier est au bout.

Saint-Jean avança prudemment dans la vaste pièce jonchée de bouteilles et de plats de croustilles renversés. Une forte odeur de cannabis embaumait les lieux. Affalée sur l'un des trois divans, une pute à demi nue ronflait, la tête cachée entre l'accoudoir et un coussin, où elle avait dégueulé durant son sommeil.

L'escalier était doté d'un dispositif pour hisser un fauteuil roulant et son occupant. Saint-Jean savait d'ores et déjà à qui il aurait affaire. Le patron de The Brain, à qui il le référait, n'était nul autre que Max « Mad Dog » Laroche, ici appelé « Big Boss », président en titre des Hells Angels du Québec et membre honoraire des Nomads, la garde prétorienne de l'organisation. Quelques années plus tôt, le haut gradé avait échappé de justesse à un attentat orchestré par la bande adverse, les Bandidos. La guerre des gangs avait ce jour-là repris de plus belle. Big Boss était depuis cloué à son fauteuil, la colonne vertébrale brisée par un fragment de bombe, résolu à piéger les salauds qui l'avaient diminué.

« *T'es le détective ?* » Bien sûr : on l'engagerait pour débusquer les Bandidos. Il se demandait si cet escalier ne le mènerait pas à sa propre perte.

En quittant le stationnement de *Chez Ginette*, Spartacus remarqua les décorations de Noël qui ornaient le restaurant et la devanture de tous les commerces regroupés le long du Chemin du Roy. Guirlandes aux ampoules multicolores propres à faire doubler une facture d'électricité. Personnages en plastique : Santa Claus, Fées des étoiles, Petits rennes au nez rouge, Frosty le bonhomme de neige, illuminés aussi. De grandes bannières, entortillées par le vent, souhaitaient *Joyeuses fêtes aux hommes de bonne volonté*. Des haut-parleurs accrochés aux lampadaires crachaient des cantiques pour créer, comme dans les centres commerciaux des villes, un esprit de réjouissance.

Les routes n'avaient pas été déblayées. On avait estimé que cette première neige, même très abondante, fondrait dans le courant de la journée. Le soleil, à son zénith, n'avait réussi qu'à la pétrifier. La chaussée cahoteuse rendait la circulation hasardeuse. Les véhicules brimbalaient à sa surface dans un concert de craquètements de glace.

Sous le pont, un pourvoyeur très téméraire glissait les premières cabanes sur la rivière

Sainte-Anne. Dans quelques jours, si la température se maintenait sous le point de congélation, un village dans le village pousserait sur les eaux du confluent. Le festival de pêche blanche commencerait, animé par le va-et-vient ininterrompu des motoneiges et les cris de touristes saouls, de jour comme de nuit. Cette année, Spartacus ne participerait pas à ces réjouissances grégaires. Il ne serait peut-être plus de ce monde quand les premiers poulamons se piqueraient la gueule sur les hameçons. La longévité ne l'avait que trop dilué. Il préférait être un beau feu d'artifice plutôt qu'une mèche mouillée.

Spartacus conduisait sans destination précise. Où qu'il aille, c'était l'Irréalité qu'il fuyait. Il sentait que le Grand mystificateur jalonnerait son chemin d'obstacles, peu importe la route qu'il emprunterait. À la sortie du village, il ne s'étonna pas de tourner vers le Rang des cèdres. Là-bas il trouverait une des créatures de l'Ennemi. Il se félicitait de sa promptitude à forcer le destin : mieux valait prendre l'initiative du combat que de laisser les forces adverses s'organiser !

Le long de la route, les conifères ployaient sous des agrégats de neige et de glaçons dégoulinants. Des langues de poudrerie serpentaient depuis les champs vers le 4 X 4, l'enveloppaient d'une fine gaze de flocons brasillant, confettis d'aluminium en suspension dans la lumière éclatante du jour. Spartacus mit ses verres fumés, tira d'un sac l'un des disques compacts qu'il avait sélectionnés, l'inséra dans la fente du lecteur. Les incantations métalliques du groupe *Laibach* produisirent des flambées de napalm dans ses neurones.

Soudain, il appliqua les freins sans ménagement et se retrouva de biais sur le chemin glacé. Il recula jusqu'à l'entrée qu'il venait de manquer. S'y hasarda, lentement.

Une maison apparut au pied d'une colline. Encore en chantier, le cottage à deux garages semblait frileux sans son revêtement. Un monticule de pierres grises émergeait de la neige, face à l'entrée principale, privée d'escalier.

Une silhouette se dessina entre deux volutes de poudrerie. Elle était penchée sur une motoneige sans capot. Il s'agissait de Stéphane Lefebvre. À ses côtés, un berger allemand s'agitait et aboyait. Spartacus pensa à Riqui, le chien de l'usurpatrice. Il avait oublié de lui brûler la cervelle avant de partir. À la réflexion, la mort par inanition apparaissait appropriée pour ce sale cabot.

À l'approche du 4 X 4, Lefebvre laissa son ouvrage, se redressa, cria au chien de se taire. Il ne pouvait pas imaginer que La Mouffette se trouve à bord du rutilant véhicule. Au moment où il s'immobilisa près du tas de pierres, à quelques mètres de lui, le géant figea d'étonnement. Qu'est-ce que ce grand bêta pouvait bien foutre dans sa cour ?

Spartacus coupa le contact, sortit de l'habitacle, retira ses verres fumés, nonchalant, un sourire caustique imprimé dans la face. L'accueil fut sans équivoque :

— Qu'est-ce que tu viens faire chez nous, hé ! La Mouffette ?

— Me faire rembourser les dégâts que t'as faits à mon pick-up.

Lefebvre n'en croyait pas ses oreilles. Il avait les yeux ronds comme des dollars, les joues gonflées d'exaspération. Cette maudite Mouffette était encore plus imbécile qu'il l'avait estimé.

— Décampe, mon sacrement, sinon je lâche mon chien, le menaça le colosse, une clef anglaise brandie à bout de bras.

Spartacus resta impavide, glissant sa main dans sa chemise à carreaux. Il n'en fallait pas plus pour provoquer Stéphane Lefebvre :

— Titan, attaque !

La bête n'eut le temps que de fléchir l'arrière-train, amorce d'un saut qu'elle n'effectua pas. La balle de calibre .22 l'atteignit en pleine gueule, sortit par la calotte entre ses oreilles, ricocha sur le moteur de la moto-neige. Lefebvre recula d'un pas, le regard rivé sur le cadavre du chien. Spartacus pointait maintenant son pistolet vers l'homme, qui tressaillit en relevant la tête :

— Hé ! ho ! T'es malade ou quoi ?

Il n'acheva pas sa remontrance. Le regard qui le fixait n'avait aucune expression.

— T'es tout seul ? demanda Spartacus.

Moment de silence.

— Je t'ai posé une question. Tu veux crever, on dirait, le menaça-t-il.

— Je, je pensais, balbutia Lefebvre. Je pensais que t'as peut-être tes raisons pour pas m'aimer, euh… c'est quoi ton nom ? Benoît ! Que t'as peut-être tes raisons pour pas m'aimer, Benoît. C'est peut-être parce qu'on n'a jamais fait connaissance, non ?

Spartacus raidit son bras armé, comme s'il faisait face à une cible de champ de tir. Lefebvre commença à trembler au point de laisser glisser la clef anglaise de sa main moite. Bon Dieu ! Allait-il mourir comme ça, bêtement, parce qu'il avait rudoyé ce dadais au bar, pour rigoler ?

— Ta femme *pis* tes morveux sont pas là, on dirait.

— Non, Benoît, Nancy et moi, on est séparés depuis l'été passé. Les enfants, eux autres, sont pas revenus de l'école.

— Bon. On va aller à l'intérieur et tu vas me montrer ton album.

— Quoi ?

— Je veux voir ton album de vieilles photos. Les photos de ton arrière-grand-père aux concours d'hommes forts dans l'ancien temps.

J'ai jamais vu ton album avec les vieilles photos en métal. Mais j'en ai pas mal entendu parler quand j'allais à l'école.

Lefebvre semblait respirer un peu mieux. Le demeuré furieux qui le tenait en joue voulait voir son album de famille ! Il avait une chance de s'en sortir. Surtout, éviter à tout prix de le contrarier.

— Rentre, vieux, si c'est juste ça notre pomme de discorde…

Spartacus signifia d'un hochement de tête que c'était l'hôte qui devait entrer d'abord.

— Hé ! *man*, tu pourrais baisser ton *gun*, suggéra l'otage, d'une voix conviviale, presque chantante.

— Ta gueule ! Montre-moi ton album et ferme ta gueule !

Le forcené posait plus résolument le doigt sur la détente du pistolet. Le colosse comprit qu'il était préférable de ne plus converser. L'homme entra dans la maison, suivi de près par le visiteur. Ils passèrent au salon, où Spartacus s'assit à son aise sur le divan, l'arme toujours pointée vers Lefebvre.

La maison avait perdu ses attributs féminins. Les murs, presque nus, étaient décorés avec des posters de bonnes femmes en bikini qui arboraient des pièces d'équipement : radiateurs, batteries, amortisseurs... Chez les Lefebvre, on était mécanicien de père en fils.

— Pourquoi elle est partie, ta Nancy ?

— Elle est rentrée dans une secte de malades.

Lefebvre sortit du tiroir d'une commode, non pas une arme, comme Spartacus l'avait appréhendé, mais l'album en question, richement relié, qu'il déposa sur la table en rotin avec le respect qu'on accorderait à une relique précieuse. Spartacus le remercia, puis appuya sur la détente. Le grand corps de Lefebvre s'affaissa, tel un pantin sans ficelles, à peine conscient qu'il cessait de vivre, un petit trou net entre les deux yeux.

Spartacus remit le pistolet dans sa poche, glissa l'album sous son bras et sortit. Il effectua quelques cercles dans la cour avec le 4 X 4, question de bien aplatir le cadavre du chien. Puis, il quitta la propriété.

Lorsqu'il revint au Rang des cèdres, un autobus scolaire s'arrêtait à l'intersection, tous feux clignotant. Deux jeunes enfants en descendirent, le bas du visage protégé par un foulard, emmitouflés dans des manteaux fluorescents identiques, un sac d'école en forme de nounours dans le dos. Spartacus respecta l'arrêt obligatoire. Les enfants passèrent à côté du 4 X 4 sans porter attention à son occupant. Puis, l'autobus se remit en branle et s'éloigna. Pour disparaître.

Spartacus jeta un regard inquisiteur au rétroviseur, observa les courtes silhouettes gambader vers la maison de papa Lefebvre.

Il lui semblait que l'arbre généalogique de cette famille aurait mérité un émondage définitif.

5 : Les anges dans nos campagnes

Pendant des décennies, ces Barbares des temps postmodernes avaient eu le champ libre pour étendre leurs tentacules dans la fange humaine. La multinationale du crime organisé était devenue florissante au nord de l'Amérique, elle avait recruté des membres ambitieux, fiers de porter les couleurs du club. Plusieurs chapitres avaient poussé, tels des champignons vénéneux, colonisant la souche pourrie de la société canadienne. *Sex, drug & heavy metal* : le trafic de stupéfiants, la prostitution, l'extorsion, sous l'égide de la tête de mort ailée, avaient gangrené le système, avaient transformé ses suppôts en riches vassaux festoyant. En seigneurs du crime, retranchés dans des repaires fortifiés, à blanchir et à gérer des fortunes colossales. Les Hells Angels du Québec étaient devenus l'un des fleurons de l'organisation mondiale.

Jusqu'à ce qu'un concurrent aussi vorace qu'eux vienne menacer cette hégémonie. Les Bandidos reluquèrent le butin. Une guerre

des gangs s'ensuivit, incendia le monde inter-
lope. L'hécatombe de part et d'autre.

Ce furent les pertes collatérales qui inci-
tèrent enfin les gouvernements à réagir vigou-
reusement en multipliant les interventions
policières et en votant des lois mordantes
pour contrer le gangstérisme.

Les rangs des chapitres québécois s'en
trouvèrent décimés : plusieurs Hells eurent
la peau trouée par les Bandidos, d'autres
furent condamnés à de lourdes peines d'em-
prisonnement, des chapitres finirent sous la
pelle des bulldozers. Les motards étaient sur
leur déclin…

Un Attila déchu, voilà ce que Saint-Jean
s'apprêtait à rencontrer. Mad Dog Laroche
était un fauve cerné, traqué, et d'autant plus
dangereux.

La porte des quartiers du Big Boss était
entr'ouverte. Saint-Jean hésitait à entrer. Des
hurlements de jouissance, feints, aurait-on
cru, couvraient par quintes une musique *speed
metal*. L'ex-policier cogna contre le chambranle. La fille se tut. On entendit des ron-
chonnements, puis :

— Tu peux entrer !

La porte s'ouvrit sur une vaste pièce aux
lambris somptueux. Derrière un bureau mo-
numental en chêne massif haletait un obèse
dont la barbe, tachetée de touffes blanches,
envahissait les joues. Le teint couperosé de

l'homme mettait en évidence la cicatrice qui traversait son front d'une tempe à l'autre. Il était en nage, affalé dans un fauteuil roulant. À ses côtés, une pute aux traits asiatiques s'habillait à la hâte, moins par pudeur que par obligation, puisqu'elle avait choisi d'agrafer son soutien-gorge avant d'enfiler sa petite culotte.

— Pas nécessaire de t'habiller en fin de compte, fit Mad Dog à l'endroit de la fille, j'avais oublié que l'inspecteur Saint-Jean s'intéressait juste au *body* des p'tits garçons.

Un rire gras saccada la respiration sibilante du motard. La pute ramassa ses vêtements et sortit du bureau, les fesses à l'air. L'hôte désigna à l'intention de son invité le canapé capitonné lui faisant face.

— Tu dois te demander comment un paraplégique s'y prend pour faire jouir ses *sweeties*, non ? dit-il, une fois que Saint-Jean se fût assis. J'ai tout le bas du corps insensible. Comme un mollusque mort !

Saint-Jean se garda bien de montrer un quelconque intérêt à l'énigme. Mad Dog inclina la tête, tirailla sur quelque objet caché sous son ventre, et qui résista un instant avant de céder.

— C'est grâce à ce machin. Ça vient du Japon et ça satisfait une salope autant que n'importe quelle queue bandée. S'agit de l'insérer là-dedans et le tour est joué.

Le chef des Hells déposa sans vergogne le cylindre de verre souillé sur le coin du bureau, ouvrit un tiroir, en sortit un document lardé de bandes élastiques.

— Bon, enchaîna Mad Dog, paraît que t'es en chômage et que les perspectives d'emploi sont pas très bonnes pour une police pédé en attente d'un procès. Ça s'arrange bien parce que je pourrais te trouver *une job*, *une job* que tu connais pas mal en fait. S'agirait que tu nous montes des dossiers très précis sur chacun des Bandidos qu'on veut faire péter... pour éviter de faire exploser des pauvres madames à leur place.

— Vous faites allusion à la coiffeuse qui a sauté en démarrant son auto ? demanda l'inspecteur. Et qui avait une Camaro identique à celle de Richard « Copain » Dubé, des Bandidos...

— On peut rien te cacher. Disons qu'il faudrait plus se permettre des bavures comme ça. C'est pas bon pour notre image. Ça donne un prétexte aux gouvernements pour s'intéresser à nos affaires et pour chier des lois antigang dégueulasses qui permettent de faire des perquisitions ou de saisir nos biens, hostie ! C'est rendu que ça nous coûte une fortune en frais d'avocat.

En proie soudain à une vive nervosité, Saint-Jean essuya du revers de la main les gouttes de sueur qui perlaient sur ses arcades sourcilières. Il avait l'impression d'avoir de nouveau perdu le contrôle de son existence. Se pouvait-il vraiment qu'il travaille pour ceux qu'il avait combattus dans sa vie précédente ?

— J'ai pas le choix d'accepter votre offre, je suppose ? demanda-t-il d'une voix mal assurée.

— Un gars a toujours le choix avec nous autres. Sauf que tu bénéficies plus de l'immunité, comme on dit chez nous. Notre éthique nous permet pas de liquider des policiers. Le problème dans ton cas, c'est que t'es plus un policier, et pas mal de motards ont des raisons de t'en vouloir, autant du côté des Hells que des Bandidos. À ta place, j'accepterais la protection qu'on t'offre. Je fournis le logement et je paye très bien. Me semble que t'as pas besoin de réfléchir longtemps, non ?

L'ex-policier, face à de tels arguments, signa le contrat d'un simple hochement de tête.

— Qu'est-ce que je dois faire maintenant ?

— Pour le moment, tu vas aller rejoindre les ti-culs au sous-sol pour les aider à préparer les paniers de Noël. C'est pour les familles pauvres des villages du coin. Par les temps qui courent, c'est pas suffisant de payer des taxes pour être des citoyens honorables. C'est rendu qu'il faut être hypocrites comme les politiciens, sacrement !

C'était son histoire, en définitive. Un seul mot tenait lieu de fil conducteur dans cette vie : le doute. Elle avait toujours douté d'elle-même. Incapable d'assumer une décision. Ça expliquait qu'elle avait été séduite par tout, par tous. Du moment qu'on s'intéressait un tant soit peu à sa personne. Pouvait-elle se payer le luxe de dire non à quelqu'un qui lui adressait un compliment, ou lui proposait de partager une idée ? Une naine repoussante n'avait d'autre alternative que de se laisser convaincre lorsqu'on l'interpellait.

Caïn, son maître, avait été le premier à s'intéresser à elle. Il avait perçu ses forces en dépit de son physique disgracieux. Il avait vu, pour reprendre son expression d'alors, la pierre précieuse dans la gangue. Il était vrai qu'à l'occasion des conférences données par le gourou, Francine avait semblé conquise : elle posait des questions, demandait de la documentation additionnelle. Si bien qu'elle avait adhéré au mouvement à la fin de la session, persuadée d'avoir trouvé sa voie. L'Ordre des Anges d'Andromède devenait du coup sa Jérusalem céleste. Imaginez : une oasis, enfin, après avoir trébuché tant d'années dans le désert. Cela l'avait valorisée, de revêtir la chasuble. Grâce à ses dons de voyance reconnus, elle avait gravi un certain nombre d'échelons jusqu'à l'obtention du titre enviable de Diacre cosmique. L'avenir semblait prometteur malgré les privations. Ces considérations purement matérielles devenaient futiles dans les circonstances, puisqu'elle avait été triée sur le volet, avec une dizaine d'autres Anges, pour participer au premier transfert vers Andromède, et obtenir là-haut la Sérénité éternelle promise.

Oui, l'avenir avait été prometteur. Jusqu'à ce que l'Arabe la séduise, la marie. L'éloigne de l'oasis. La chair l'avait emporté sur l'esprit. Le doute l'avait corrompue. Elle avait renié ses vœux pour vivre sa vie à elle, ô suprême ignominie ! Caïn avait toutes les raisons de l'Univers pour la traiter de la sorte. Comment avait-elle pu commettre l'odieux de revenir au Temple après l'avoir abandonné pendant sept ans ? On ne retournait pas parmi les croyants après avoir été frappée d'anathème ! D'abord, elle s'était résignée à son sort, convaincue qu'il ne s'agissait que d'un purgatoire temporaire décrété par le maître pour laver sa faute. Et si ce qui semblait une rude épreuve était en réalité un verdict de culpabilité, passible de la peine de néantisation ? Encore le doute, le doute maudit qui la handicapait plus encore que son nanisme.

La captive avait néanmoins décidé de se détacher de la patte du réservoir d'huile, à laquelle elle avait été enchaînée. Avec sa cuillère, elle avait patiemment, des nuits durant, érodé le plancher de ciment lézardé sous la patte. Et voilà que libérée, elle se demandait si elle ne ruinait pas sa dernière chance d'être acceptée par Caïn. Un insoutenable dilemme se présentait : s'enfuir ou espérer le pardon ?

Les humiliations endurées ne suffisaient pas à la convaincre de quitter son bourreau. C'était pourtant le moment idéal pour prendre ses petites jambes à son cou. Les membres de la secte priaient dans la chapelle, les psalmodies commençaient à résonner en salves incantatoires. Le soleil couchant filtrait à travers les planches barricadant le soupirail, éclairait les différents objets utiles à son évasion : un pied-de-biche posé sur l'établi, un escabeau appuyé au mur. Elle avait repéré un manteau accroché à un clou, une paire de bottes de motoneigiste sous l'évier. Bref, tout ce dont elle aurait besoin pour une longue course dans les bois, qu'elle savait froids et enneigés. Elle fixait le bout de sa chaîne, hagarde, inapte à se décider.

Elle aurait sûrement renoncé à ce projet si le miracle ne s'était produit. Ce fut le signe attendu. Une forme, floue, apparut dans le fond du sous-sol. L'entité ne tarda pas à former un visage lactescent aux traits de Marie-Papillon, sa chérie immolée. La bouche de la fillette articulait des mots inaudibles. Francine put lire sur les lèvres du mirage le signal qui la sortirait de la torpeur : « Va-t-en, maman ! »

C'était vraiment grisant d'explorer les chemins de campagne des terres d'En haut. Spartacus parcourait des entrelacs de rangs, de chemins privés, de sentiers plus ou moins carrossables, s'enfonçait dans des plantations denses où il ne rencontrait aucune âme qui vive. Depuis que le Grand mystificateur l'avait confiné au village de Sainte-Anne, il n'était jamais sorti seul des limites de son comté d'adoption.

Il arrêta le 4 X 4 devant une barrière interdisant l'accès à une route privée. Sur l'écriteau criblé de plombs, on pouvait lire : *DÉFENCE DE PASSÉ – À VOS RISK ET PÉRILLE*. On ne le ferait pas reculer. Un tel avertissement protégeait certainement des installations de l'Ennemi. Pour sûr, il passerait outre !

Il recula puis, les gaz au fond, enfonça la barrière, qui se fracassa en petit bois d'allumage.

Malgré la poudrerie persistante, Spartacus sut discerner la piste presque effacée d'un autre véhicule. On était passé là quelques heures plus tôt.

La route se faufila, étroite, dans une forêt de pins rouges matures. Le couloir sombre était empêtré de branches qui claquaient contre le pare-brise. Spartacus alluma les phares. Des réflecteurs cloués au tronc des arbres s'illuminèrent sur son passage. D'autres écriteaux menaçants apparaissaient, l'enjoignant à rebrousser chemin. Sur les côtés de la route, de plus en plus sinueuse et vallonnée, des débris de toutes sortes, carcasses de voitures, laveuses, cuisinières, réservoirs à eau chaude, avaient été abandonnés par des générations de pollueurs, et laissaient à penser que c'était la civilisation qui avait été surprise par une avancée subite de la nature. Puis, une éclaircie brève. Un pont en rondins enjambait une petite rivière encaissée, à demi gelée, dont les flots charriaient du frasil.

Au sortir du pont, il grimpa une pente très abrupte qui s'enfonçait de nouveau dans une forêt, plus clairsemée. La cime des arbres disparaissait sous le couvert d'une fumée grise. Des particules de papier carbonisé folâtraient dans le faisceau des phares. On chauffait un campement non loin de là…

Une autre barrière, en métal celle-là, et cadenassée, l'attendait à la fin de son ascension. Il l'abattit. Le capot et une aile du 4 X 4 se froissèrent sous le choc. Qu'importe les dégâts, il n'allait pas aux bleuets, c'étaient des fumistes qu'il allait cueillir !

Spartacus dévalait à fond de train le chemin escarpé, une main crispée sur le volant, l'autre main cherchant la .303 sur la banquette arrière. De la lumière fusait d'entre les arbres.

Il déboucha dans une clairière. En son centre, une cabane construite sur une fondation surélevée abritait certainement des agents à la solde du Grand mystificateur.

L'effet de surprise fut total. Un type aux bras chargés de bois de chauffage laissa tomber son fardeau, lui tourna le dos, courut vers la cabane, le diable au cul. Spartacus le happa au passage. Il poursuivit la charge en direction du bâtiment, éclairé par une lumière sentinelle. Un autre type émergea sur la galerie, en gilet de corps et nu-pieds. Celui-là était armé d'une carabine.

Spartacus donna un coup de volant, fit glisser avec adresse le véhicule de 180 degrés pour présenter le train arrière au feu de l'Ennemi. Une détonation s'ensuivit. La lunette du hayon explosa en une grêle de cristaux ; un projectile de calibre indéterminé s'était logé dans le lecteur de disques compacts.

Spartacus ouvrit la portière pour faire diversion et glissa du côté passager. Il se jeta hors du véhicule, son fusil collé contre la poitrine, roula dans la neige molle, épaula, visa et tira. Il était moins une. L'agent couchait en joue son arme lorsqu'il fut atteint au visage. Son corps fit une danse grotesque avant de dégringoler le long escalier de la galerie. Spartacus trouva refuge entre deux cordes de bois. Il attendit là qu'on se manifeste de nouveau, mais rien ne se passa.

Il se rendit, circonspect, à l'arrière du bâtiment. Le long du mur était stationnée une jeep. Il revint à l'avant, enjamba le mort, gravit l'escalier et entra. La pièce unique était déserte. De l'eau en ébullition s'échappait d'un chaudron posé sur l'élément rougi de la cuisinière électrique.

Il inspecta les lieux, meublés d'une table, de trois chaises et d'une couchette disposées autour du poêle à bois. Derrière un rideau de vinyle, il trouva la toilette et le lavabo. Il découvrit devant la cuve une ouverture dans le plancher. Il l'ouvrit. Des tubes fluorescents éclairaient une véritable forêt de cannabis. La culture avait atteint sa maturité, à l'évidence, puisqu'on avait commencé à couper certaines rangées. Des ballots d'herbe s'entassaient près de la génératrice.

Spartacus referma la trappe, perplexe. Son assaut lui vaudrait certainement quelques points de vie additionnels. Il aurait préféré toutefois mettre à sac un siège plus important de l'Ennemi. Il devait être patient, son offensive ne faisait que commencer. En attendant, cette escale avait l'avantage de fournir un gîte pour la nuit.

Il sortit sur la galerie, où il ramassa l'arme de son agresseur, une 30-0-6, qu'il suspendit en bandoulière sur son côté, avec la .303. Au pied de l'escalier, il retourna sur le dos le cadavre de l'homme. Le projectile avait laissé un trou béant au centre de son visage, le laissant méconnaissable, dans la perspective où il aurait pu le connaître.

L'inspection de la jeep offrit une surprise de taille. Dans le coffre, il mit la main sur un véritable arsenal : un fusil-mitrailleur AK-47 grossièrement enveloppé dans un manteau de motard, un pistolet muni d'un silencieux, quatre couteaux à cran d'arrêt et, rangées dans une glacière sous quelques cannettes de bière, des munitions assorties, en plus d'une grenade ! Il réévaluait à la hausse l'importance de sa première incursion en territoire ennemi.

Restait à fouiller le cadavre du type fauché par le 4 X 4. Autre surprise. Le type, c'était une fille. Pas trop jolie du visage, surtout avec le crâne défoncé, mais dotée d'un corps sculptural, digne d'un film porno, se réjouit-t-il, lorsqu'il eut épluché tous ses vêtements.

Malgré le froid, il baissa son pantalon, se coucha sur la fille, guida d'une main malhabile son pénis raidi vers le sexe opposé. À son grand dam, il constata que le corps était déjà congelé : une queue en acier galvanisé n'aurait pas suffi pour pénétrer sa conquête.

Il transporta la fille dans la cabane, la laissa ramollir auprès du poêle. Après, il put assouvir ses instincts à plusieurs reprises durant la soirée. L'homme n'était pas peu fier d'être entré dans le monde des adultes. Dans la mesure où on pouvait perdre son pucelage en baisant une morte.

6 : La chair est faible

On le logerait, avait affirmé Mad Dog Laroche. Saint-Jean avait cru que ce serait au chapitre même. Il l'aurait souhaité. Sa sécurité était menacée. Ne lui avait-on pas signifié qu'il ne jouissait plus de l'immunité inhérente au statut de policier ? Il se serait senti plus protégé auprès du Big Boss. Certains Hells l'avaient regardé de travers, comme pour dire qu'ils lui auraient fait la peau s'il n'avait pas été engagé par leur patron. Il marchait sur un fil de fer. C'était catégorique : seuls les membres en règle, les postulants et le cheptel de prostituées pouvaient résider de façon permanente dans le chapitre.

On l'avait casé dans le village voisin, au *Easy Rider*, un ancien bar de danseuses désaffecté qui avait servi de façade au trafic de stupéfiants et que les autorités policières avaient réussi à fermer. C'était ce que le ti-cul lui avait expliqué en l'aidant à s'installer. Pierre, le ti-cul, celui qui l'avait accueilli à son arrivée au chapitre, la veille.

Saint-Jean avait remarqué qu'il exerçait une fascination sur son jeune accompagnateur. Peut-être parce que le détective avait obtenu audience auprès du Big Boss. Fin renard, il profiterait de cet ascendant sur le jeune pour obtenir des faveurs. D'ailleurs, le ti-cul se vantait de pouvoir dénicher n'importe quoi en moins de vingt-quatre heures. Une fierté d'adolescent en manque de reconnaissance. « Étant donné que je suis appelé à rencontrer Mad Dog pour lui fournir des renseignements, je pourrais des fois lui dire un bon mot à ton sujet, si tu veux. »

Ç'avait été la formule magique. Le jeune espérait tellement obtenir ses couleurs ! Il n'avait pas hésité une seconde à accepter l'échange de services.

Lorsqu'il l'avait laissé à l'entrée du *Easy Rider*, Saint-Jean avait décidé d'éprouver la bonne foi du ti-cul. Sur le ton complice de la confidentialité, il avait passé une commande pour le moins singulière. « Ciboire ! J'aurais jamais cru que t'étais pédé ! Mais ça peut se trouver, si t'es patient. » Saint-Jean avait douté que le garçon puisse dénicher ce qu'il désirait. Bien qu'il le souhaitât de tous ses sens.

Il se réveilla en sursaut sur la table de billard, son lit de fortune, où on avait déroulé un sac de couchage à son intention. Des taches de lumière jaunes tournoyaient sur les murs, se décuplaient en percutant les grands miroirs derrière la scène. Une charrue déneigeait la rue. Il s'ébroua, trouva la télécommande du téléviseur sous son oreiller, l'alluma. Sept heures, indiquait-on, sous les bandes de couleur. Puis, la programmation reprit son cours. Saint-Jean se redressa sur sa couchette. Une musique doucereuse annonçait le début des émissions pour enfants. Des gamins impubères, blancs, noirs, asiatiques, apparurent à l'écran. Ils dansaient autour d'une piscine gonflable, criaient parce qu'une grosse bébête poilue les aspergeait avec un boyau d'arrosage. Le petit cul tendre des garçonnets se dessinait dans les maillots de bain mouillés. Le tissu mince rentrait dans la fente des fesses. Ce qu'il aurait donné pour être à la place de la grosse bébête !

Il allait porter la main à son organe raidi, quand il entendit frapper. Il se rendit d'abord à l'avant de l'établissement. Personne. Le bruit provenait de l'arrière. Il revint sur ses pas, emprunta le couloir menant aux toilettes. À l'extrémité, une porte vitrée donnait sur l'extérieur. Derrière le verre biseauté, deux silhouettes s'animaient. En désespoir de cause, il se mit à chercher un objet avec lequel il pourrait se défendre, si jamais cette visite inattendue venait à mal tourner. On cognait avec insistance. Puis, une voix s'éleva.

— Hé ! Ouvre vite avant qu'on nous remarque dans la ruelle.

— Bordel ! C'est qui ça ?

— C'est Pierre ! J'ai amené une surprise…

Saint-Jean retira les deux loquets de sécurité et ouvrit. Le ti-cul était appuyé contre un poteau de la galerie. Il tenait par la main un bambin taré qui mâchouillait le bout de sa mitaine en bavant.

Il survolait un paysage charnel, une incommensurable étendue épidermique. Son ombre minuscule ondulait à la surface de chaînes de bourrelets en mouvance, s'étiolait dans des futaies de poils noirs, hérissés. Une éternité, que ça durait. En orbite autour d'une boule de chairs cousues dont il explorait bien malgré lui toutes les longitudes, à une vitesse folle, vertigineuse. Était-il la lune de cette planète vénérienne ? Peut-être pas, car voilà qu'il ralentissait. Il s'immobilisait au-dessus d'un lac rouge puis, peu à peu, perdait de l'altitude. Il s'agissait d'un canyon rempli de sang coagulé dont les berges luxuriantes de fourrure pubienne abritaient de gigantesques grenouilles visqueuses. Qui l'observaient avec concupiscence. Qui semblaient attendre son crash dans le cratère, pour se ruer sur lui ! Impossible de freiner la chute. Les batraciens quittaient le couvert des poils géants et sautillaient en hordes désordonnées sur le plan croûteux du lac, convergeaient à vive allure vers son ombre qui grossissait, grossissait. Une ombre difforme. Une grosse tête, aurait-on cru, pourvue d'une excroissance membrée. Il projetait l'ombre d'un têtard ! Et là-dessous, ses aînés anthropophages, agglutinés en une masse poisseuse de bouches ouvertes, attendaient de le gober.

Spartacus trébucha, somnambule, sur un bidon d'essence. Il alla choir sous le lavabo, agrippé au rideau de vinyle qui dissimulait le siège de toilette. Il gigotait comme un épileptique en crise, affolé à en hurler, persuadé que l'estomac d'un batracien géant le digérait. Les froides entrailles se transformèrent en rideau et il émergea, hébété, des affres du cauchemar. L'aube naissante qui coulait de la fenêtre chassa dans les coins de pénombre ses dernières visions d'horreur. Il reconnaissait enfin les lieux où il avait passé la nuit.

Il se redressa. Sur le plancher, le cadavre dévêtu de la fille, jaspé de plaques violacées, semblait offrir son sexe au nécrophile. Oh que non ! On ne le reprendrait plus à forniquer avec cette putain. Son rêve dégoûtant, il l'attribuait à la soirée d'amour qu'il avait vécue avec elle. Il la traîna par les cheveux, ouvrit la trappe, la jeta dans la forêt de cannabis. Les vitres de la cabane étaient embuées de son haleine quand, épuisé, il reprit son souffle. Un peu d'air frais lui ferait du bien.

En sortant sur la galerie, il constata la disparition de l'autre cadavre. Il descendit l'escalier. Des pistes de loups criblaient la neige.

Il suivit les traces, la main en visière, face à un soleil levant qui nimbait le ciel moutonneux de teintes pourprées. Les pistes le menèrent en bordure de la forêt où il découvrit, coincé dans le V de deux bouleaux jumeaux, le corps de l'homme, dévoré. Les braves bêtes avaient dû travailler fort pour se tailler dans la pièce de viande frigorifiée quelques morceaux de consolation.

L'heure était au départ. Avec le rideau de vinyle, il boucha le hayon du 4 X 4. Puis, il chargea dans le véhicule le précieux arsenal de ses victimes. Il s'offrit ensuite un petit-déjeuner constitué de sardines en conserve, qu'il harponna avec son canif. Assis dans le véhicule, l'album de la famille Lefebvre ouvert sur les genoux, il regarda les poses culturistes de l'aïeul immortalisées sur les daguerréotypes. Comme le lecteur de disques compacts était bousillé, il syntonisa le seul poste de radio que l'antenne pût capter.

Au bulletin de nouvelles, on annonçait le meurtre sordide d'un mécanicien de Sainte-Anne-des-Chenaux. Ses jeunes enfants, de retour de l'école, avaient fait la macabre découverte de leur père atteint d'une balle dans la tête. Puisque les policiers de la Sûreté du Québec étaient en grève depuis une semaine, l'enquête avait été confiée à des agents de la Gendarmerie royale du Canada. Côté météo, on signalait une grosse dépression en provenance de l'ouest, laquelle laisserait au passage une autre bonne quantité de neige. Sport : les Canadiens de Montréal recevaient en soirée la visite des Bruins de Boston.

Elle s'était décidée. Le lendemain seulement, à l'occasion de la première prière des fidèles.

Il n'était plus question de s'arrêter. Ne serait-ce que pour reprendre un peu son souffle. À l'heure qu'il était, le maître devait s'être aperçu de sa fugue. Pour sûr qu'on se mettrait sur sa trace, trop bien imprimée dans la neige vierge, sur des kilomètres. Francine progressait péniblement dans l'abatis, enfoncée jusqu'aux genoux, les pieds gourds dans des bottes trop grandes, les poumons brûlés par l'air vif. Et cette foutue chaîne attachée à son mollet s'entortillait aux souches ensevelies, la faisait prendre tête première des bains de neige. Elle atteindrait bien une route de campagne. Très bientôt, espérait-elle, avant que les hommes de Caïn viennent tout bonnement la rattraper, comme on saisirait un enfant qui aurait trompé, le temps d'un mauvais coup, la vigilance de ses parents.

Un froissement la fit sursauter. Des ramures d'un orme solitaire, une formidable volée d'oiseaux éclata dans l'azur. Des centaines de sizerins se dispersaient aux quatre vents, semblaient se quitter en des directions opposées, réapparaissaient en une formation serrée, stridulant des gazouillements de ralliement, pour disparaître regroupés vers les boisés du nord. En suivant du regard leur vol, Francine remarqua sur sa gauche un trait luisant qui courait sur la ligne d'horizon. Des fils électriques. Elle longeait bêtement la route tant espérée.

Elle arrêterait le premier véhicule au passage. Demanderait qu'on la livre à la justice des hommes afin d'être jugée pour le meurtre de Marie-Papillon. Elle ne se berçait pas d'illusions. Son signalement était on ne peut plus éloquent. Une naine infanticide fugitive, ça ne passait pas inaperçu. La prison semblait, pour l'heure, préférable au Temple.

Des vrombissements résonnèrent dans la plaine. Derrière elle, des lames de lumière tailladaient le bas du ciel. Les pare-brise de motoneiges s'incendiaient dans le lointain sous les rayons du soleil. Elle avait Caïn à ses trousses.

Elle courait à en perdre haleine, cabriolait dans le champ de neige, tel le lièvre traqué par le renard. La route ! Elle dégringola dans la déclivité du talus, jusqu'au creux du fossé où elle s'enlisa quelques secondes, la respiration hachée. Puis, dans un ultime effort, elle enjamba le garde-fou, s'écroula, complètement rompue, sur la route. Son cœur battait la chamade entre ses tempes, de sorte qu'elle n'entendit pas venir le 4 X 4, en glissade vers son corps allongé. Trop tard. Elle se retrouva coincée sous la masse, le dos râpé par un essieu, traînée sur la chaussée glacée, alors que le conducteur tentait de reprendre la maîtrise de son véhicule. Quand le manège s'arrêta dans une explosion de neige, elle était inconsciente, la tête appuyée contre l'intérieur d'une roue.

Spartacus avait heurté son front contre le volant. Le moteur avait calé. Une partie du chargement était passée à l'avant, avait sous le choc endommagé le tableau de bord, avait craquelé le pare-brise. Il actionna ses essuie-glaces pour dégager l'épaisse couche de neige collée à la vitre. Le 4 X 4 avait terminé son embardée la calandre enfoncée dans le fossé. Un banc de neige avait amorti l'impact, il s'en tirait avec plus de rage que de mal.

Il eut un mal de chien à ouvrir la portière ; quelques coups d'épaule en vinrent à bout et il sauta hors de l'habitacle, le .20 en main, prêt à faire feu sur tout ce qui chatouillerait sa susceptibilité du moment.

Les trois motoneiges s'étaient immobilisées à bonne distance, leurs conducteurs avaient remonté la visière de leur casque. Ils semblaient discuter de la situation.

Spartacus fit feu dans leur direction. Ils étaient hors de portée du calibre .20. Les motoneigistes ne bronchèrent donc pas.

Il retourna au 4 X 4, piqué au vif, revint sur le bord de la route armé de la .303. Il atteignit cette fois la carlingue d'une des motoneiges. Les types réagirent. Ils déclarèrent forfait et quittèrent les lieux les gaz au fond.

— Bande de *chieux*! Bande de *chieux*! s'époumonait Spartacus, triomphant.

Ainsi, l'Ennemi s'en prenait à d'autres que lui. Il n'était donc pas le seul à avoir percé le secret de la grande supercherie. Restait à savoir si ce résistant avait survécu à l'embardée. Il semblait que oui : des plaintes sourdaient de sous le 4 X 4 enfoncé dans la neige.

7 : À tombeau ouvert

La moue ironique de Dédé « L'Indien » Savard l'avait accueilli à son réveil, à son deuxième réveil en fait, tout aussi brusque que le premier. Il devait être près de midi. Saint-Jean ne l'avait pas entendu entrer dans le bar. Ouvrir les yeux sur cette tête tressée, penchée sur sa personne, l'avait empourpré de gêne. Cela ravivait dans sa mémoire l'époque du dortoir, à la crèche. Au réveil, les sœurs avaient cette manie de foutre leur face condescendante au-dessus d'eux, les orphelins, pour être certaines que la première pensée des pensionnaires soit dédiée à leurs saintes hôtesses. Dédé Savard n'avait rien de l'angélisme d'une sœur. On l'appelait « L'Indien » à cause de ses longues tresses noires gominées et de ses tatouages cabalistiques incrustés dans les joues. Là s'arrêtait l'analogie. Avec son teint pâle et ses yeux bleus de chat siamois, il avait plutôt l'air d'un sauvage de film western des années cinquante. Dédé Savard, impatient, l'avait dénudé en faisant glisser au sol le sac de couchage ouvert qui servait de couverture à son lit de fortune.

— On fait une partie de *pool*, mon gros ? J'ai déjà une boule en main !

L'Indien avait refermé la main sur son téton mollasse. Saint-Jean avait failli protester, mais s'était ravisé pour s'éviter une claque sur la gueule.

— Eh ! tu la lèves, ta graisse ? On te paye pas pour faire la grasse matinée, gros vendu !

Ce que le Hells ne savait pas, c'était que Saint-Jean s'était levé avec le jour. En avant-midi, il avait sodomisé le handicapé mental que Pierre, le ti-cul dévoué, avait amené au bar. Une copulation satisfaisante, même si le petit n'avait aucun charme et bavait continuellement pendant l'acte. Le taré avait la bouche si dégoûtante, en toute honnêteté, que le pédophile n'avait pas été tenté de se faire sucer la bite. Néanmoins, après des mois d'abstinence, il avait pris son pied. Il remettrait ça la semaine suivante, pour autant qu'il dise un bon mot à Big Boss au sujet du postulant.

Ce dernier ne manquait pas de débrouillardise. Il avait expliqué à Saint-Jean qu'il approvisionnait un couple de drogués accros. Qui avaient la curatelle de deux handicapés mentaux ; l'un, légume ; et l'autre, « juste un peu mou ». Il avait été assez facile de les convaincre de prêter, sans poser de questions, le garçon le plus sain, une demi-journée par semaine, « pour désennuyer un monsieur non violent ». En échange de quoi le vendeur continuerait à fournir la camelote en dépit de la dette qui étouffait le couple. Saint-Jean s'étonnerait toujours de l'immoralité des gens !

Il venait à peine de se recoucher ; peut-être avait-il dormi une demi-heure, quand L'Indien s'était introduit en catimini dans le bar pour violer son intimité. Il avait failli surprendre l'ex-policier la queue dans le gamin. S'il était arrivé plus tôt, c'en aurait été fait de son contrat. Le Big Boss l'avait averti de ne faire aucun geste répréhensible. La règle, pour les professionnels engagés par l'organisation, était très claire. Pour les avocats, les notaires, les comptables, les détectives privés : même consigne. On les engageait pour protéger, en quelque sorte, l'image du gang auprès des médias et de la population. Que les Hells aient à leur service autant de notables prouvait, selon eux, l'honorabilité de leurs activités. Officiellement, ils étaient tous des assistés sociaux qui occupaient leurs loisirs avec un club social regroupant des amoureux de la moto. Sans plus. Parfois, des avocats de l'organisation concédaient aux journalistes que leurs clients s'adonnaient au travail au noir, comme bon nombre de Québécois d'ailleurs, et qu'il n'y avait pas de quoi fouetter un chat.

— O.K., comtesse, ta limousine t'attend en avant.

Dédé Savard cracha au sol, puis sortit. Saint-Jean enfila en vitesse ses vêtements de la veille ; il n'en possédait pas de rechange. Sans attendre, il se dirigea vers la sortie, les cheveux en bataille, le visage graisseux. Quelque chose d'important se passait. Baignée dans un brouillard de gaz d'échappement, une Mercedes noire, aux vitres opaques comme les yeux d'une guêpe, attendait dehors.

« Une naine ! » de s'écrier Spartacus en tirant la fuyarde de sous le 4 X 4. Avec la délicatesse de l'archéologue qui débarbouillerait les traits d'une idole ensevelie, il la débarrassa, du bout des doigts, de la neige sale collée à son visage. La longue chevelure de la créature était raidie, figée en tresses de glace. Elle clignait les paupières, comme une enfant que l'on aurait tirée du sommeil en pleine nuit. Un sourire de gratitude anima le visage tuméfié dont la partie gauche, maculée d'une tache de naissance vineuse, conférait au faciès une allure de clown mal maquillé.

Il la prit dans ses bras, la coucha sur la banquette arrière et la recouvrit d'une couverture de laine. Elle balbutia quelque chose, mais les mots restèrent collés sur ses lèvres. Elle ne paraissait pas souffrir. Ses yeux, au contraire, exploraient avec une vivacité empreinte de curiosité l'habitacle où elle avait trouvé refuge. La petite bête traquée semblait apprécier cet asile. Parce qu'elle se sentait enfin entre bonnes mains. Un bon Samaritain avait croisé sa route. Marie-Papillon avait été l'artisane de cette rencontre, sans l'ombre d'un doute.

Spartacus considéra quelques instants la chaîne de la rescapée, puis remit à plus tard la tâche de la lui retirer. Il importait d'abord de sortir le 4 X 4 du fossé, avant qu'une patrouille ne vienne à passer sur cette route. Ou que les motoneigistes mystérieux ne réapparaissent dans les champs, avec des renforts et armés pour l'affronter. Il glissa des *traction aids* sous les roues du 4 X 4 et réussit, malgré la déclivité du talus, à le libérer de la neige. La belle machine de Béatrice, toute cabossée, semblait avoir participé à plusieurs Paris-Dakar.

Alors qu'il s'apprêtait à quitter l'accotement, Spartacus vit apparaître dans le rétroviseur latéral la gueule virile d'un camion de l'Armée canadienne. C'était le fourgon de tête d'une longue théorie de véhicules de ravitaillement, entrecoupée de petites jeeps, en exercice dans le coin. Spartacus les laissa le doubler. Il se rangerait derrière le camion de queue en s'imaginant appartenir au contingent, il rêverait qu'il participe à une mission dans quelque pays en guerre.

Une bourrasque se leva et essora les arbres. À l'ouest, une colonne de nuages gris cendre assombrissait le ciel. À n'en pas douter, la deuxième grosse tempête de neige de la saison s'abattrait sur eux. Et cela le rasérénait.

Il avait fait une heure trente de route, coincé sur la banquette arrière entre deux Hells ventripotents qui puaient la sueur alcoolisée, muets derrière leurs verres fumés. L'Indien, le conducteur désigné, les avaient secoués avec des manœuvres téméraires, à une vitesse démente, sur les chemins cahoteux et glacés de la campagne. Les quatre Hells à bord semblaient absorbés par de noires pensées. Mad Dog Laroche, assis à l'avant, brisa le silence, à la fin de la course. Il empoigna un téléphone cellulaire pour annoncer à son destinataire qu'ils étaient sur le point d'arriver.

Saint-Jean ne trouvait pas sa situation confortable. Dans tous les sens du mot. Que les Hells le payent pour colliger des informations sur leurs rivaux, soit ! Ce n'était pas illégal d'offrir des services professionnels à des mafieux. Pour autant qu'il ne soit pas directement mêlé à leurs activités. Il craignait, ainsi flanqué de deux criminels, et promené dans la voiture du chef d'une association de malfaiteurs, qu'on l'implique dans des affaires très compromettantes. Ce qui n'aiderait certainement pas sa cause, le cas échéant, alors qu'il aurait à faire face à la Justice, après les Fêtes, pour son histoire avec le petit Cambodgien.

La Mercedes s'était immobilisée sur l'accotement d'un chemin bordé de pylônes, en marge du réseau routier fréquenté. Ses deux compagnons de banquette sortirent du véhicule et refermèrent les portières sur lui. Ils transférèrent leur Big Boss impotent à l'arrière d'une jeep qui attendait de l'autre côté de la route. Les deux gardes du corps prirent ensuite place dans ce même véhicule. L'ex-policier resta un instant seul avec L'Indien, qui ne cessait de le dévisager dans le rétroviseur. Finalement, la jeep klaxonna, signal qui l'autorisait à rejoindre les autres. Sa première journée de travail commençait officiellement.

— Salut, Inspector, tu pensais pas qu'on se reverrait aussi vite, hein ?

Saint-Jean venait de s'asseoir aux côtés de The Brain, son sauveur du pénitencier, appuyé contre le volant, un cigarillo coincé dans les commissures des lèvres. Voilà maintenant qu'il fréquentait un évadé de prison !

— T'as obtenu une libération conditionnelle ? blagua Saint-Jean, pour masquer son malaise.

— Pas tout à fait. Disons plutôt que j'ai faussé compagnie à mon gardien de l'infirmerie. Je suis champion pour faire semblant d'être malade. J'ai même pensé faire du

théâtre quand j'étais plus jeune. Mais c'est
pas assez payant.

The Brain jeta son mégot par la fenêtre et
engagea la jeep dans un chemin non déblayé,
un accès privé à des terres à bois. À l'arrière,
on ne disait rien. Mad Dog Laroche, à son
tour coincé entre les bedaines de ses deux
gardes du corps, semblait accablé. Quelque
chose de vraiment sérieux minait ses pensées.

— Est-ce que tu peux me dire où nous
allons ? risqua l'ex-policier, conscient qu'il
n'était pas dans le secret des dieux.

— Un de nos gars a été tué ce matin, ou
hier peut-être, répondit The Brain. C'est
« Snake », le fils de Mad Dog. Faudrait que
tu trouves des indices pour savoir qui a fait
le coup. On est certains que c'est les Bandidos,
mais on veut juste une petite confirmation
avant de déclencher des représailles.

— On va sur les lieux du crime, c'est ça ?
s'informa Saint-Jean, inquiet.

— Exact. Au chalet de Snake, oui, où on
l'a tué. Sa pute aussi a été tuée. On a fait attention de pas toucher à rien. Pour pas nuire à
ton enquête.

Saint-Jean se demanda quelques secondes
s'il ne devait pas se retourner et offrir ses
condoléances au pauvre papa affligé. Il jugea
que sa compassion n'eût pas paru naturelle
et il s'abstint donc.

Un gémissement d'abord réprimé, puis incontrôlé, se fit entendre. Le Big Boss sanglotait, hoquetait comme une vieille pompe abandonnée, où l'eau n'aurait jamais dû remonter. Par pudeur pour son patron, The Brain ouvrit la radio. Sur des airs de Noël, la jeep arriva au chalet de feu Snake Laroche. Une neige granuleuse s'était mise à tomber.

Saint-Jean remarqua aussitôt, à quelques mètres de la cabane, puis au pied de l'escalier, de larges traces de sang, presque phosphorescentes dans la blancheur des lieux. À la radio, un ténor entonnait « Les anges dans nos campagnes »…

8 : *Motel Coconut*

Drôle de nom pour un établissement situé en pleine forêt boréale. Néanmoins, ce relais minable, découvert au hasard de son expédition, tombait pile. Spartacus savait que la rescapée avait besoin d'un peu de confort pour refaire ses forces. De toute façon, le mauvais temps ne leur aurait pas permis d'aller plus loin.

Vingt-quatre heures s'étaient écoulées depuis leur arrivée au motel et la tempête faisait toujours rage, sans accalmie, comme si elle devait durer une partie de la nuit encore. C'était ce que prévoyait l'animateur de la chaîne Météo Média. Sur un ton péremptoire, il expliquait le phénomène par la loi du balancier. Puisque l'hiver s'était fait attendre, dame Nature redoublait d'efforts, en termes de précipitations, afin de combler son déficit. Spartacus avait laissé le téléviseur ouvert en permanence, imitant ses voisins camionneurs des chambres attenantes. Ils étaient, eux aussi, prisonniers des éléments, qui interdisaient toute circulation sur la plupart des routes de la province. Par la fenêtre, c'était à

peine si on distinguait la silhouette hachu-
rée des camions remorques enlisés au milieu
du stationnement. Malgré les inconvénients
que ça causait, Spartacus aimait observer les
forces de la nature se déchaîner.

Sous la lumière crue des tubes fluorescents grésillant, il se regardait dans la glace
de la minuscule salle de toilette. C'était la
première fois qu'il se voyait depuis son illu-
mination. Il s'étonnait que son visage n'ait
pas changé, hormis son regard plus déter-
miné et cette barbe hirsute d'un roux luisant
qui envahissait ses joues. Puisqu'il s'était
affranchi de sa fausse identité, il se serait
attendu à une mutation complète de sa chair.
Et puis ! Sans avoir l'apparence d'un héros
de jeux vidéo, n'avait-il pas la mâchoire pro-
gnathe du bagarreur ? Et les muscles fort bien
développés ? Quoi qu'il en soit, son désir de
vaincre le Grand mystificateur donnait de la
noblesse à ses traits naguère si moches.

Dans le coin du miroir, il vit la naine
remuer dans le lit, enfouie sous une épaisse
courtepointe. Sa protégée ne faisait plus de
fièvre ; les cachets d'aspirine avaient agi.
Quant à son état général, Spartacus avait estimé, en l'examinant au mieux de ses connais-
sances, qu'elle n'avait subi aucune lésion
grave en glissant sous le 4 X 4. Il avait désin-
fecté le lobe tranché de la fugitive. Elle se
remettrait des sévices qu'elle avait endurés.

Une journée de repos et elle reprendrait du service. Tant mieux : ils ne seraient pas trop de deux pour affronter l'Ennemi. Et ses suppôts.

Spartacus s'apprêtait à sortir. Pas bien loin. Il se rendrait au bout de l'autre aile, au bar du motel, que lui avait indiqué le proprio, alors qu'il signait le registre. Le *Motel Coconut* servait de halte aux transporteurs de bois de pulpe et, durant la saison froide, de relais pour les motoneigistes. Les uns et les autres seraient réunis ce soir-là : les premiers parce qu'ils ne pouvaient continuer vers Trois-Rivières pour livrer leur bois aux moulins à papier ; les seconds pour inaugurer officiellement la nouvelle saison de Ski-Doo. Il prendrait un risque en se joignant à la populace. Mais, s'il y avait des informateurs parmi les routiers ou les randonneurs, son flair l'avertirait bien. Peut-être devraient-ils passer quelques jours dans ce comté perdu, le temps que la naine soit sur pied et qu'ils décident d'une stratégie commune pour éradiquer le Mal. En espérant que sa protégée ne soit pas muette : elle n'avait pas dit un mot jusqu'ici. Du fait de son état de demi-conscience, probablement. Tant qu'elle n'aurait pas retrouvé ses moyens, il profiterait de ce débit de boissons. Tout en restant sur ses gardes.

Spartacus eut du mal à ouvrir la porte de la chambre ; la neige s'accumulait en dunes le long du mur. De gros flocons, mouillés maintenant, se coinçaient entre ses cils avant de fondre. Dans les lueurs jaunes des lampadaires, les millions de taches blanches en descente oblique donnaient la vertigineuse impression que le motel naviguait, toit devant, vers le ciel noir. Il marcha, le dos voûté, les yeux mi-clos, la main portée à la gorge pour empêcher la neige de s'engouffrer dans sa veste à carreaux. Son autre main serrait la crosse du pistolet placé dans la plus grande poche de son vêtement.

Il avait dépassé le bureau d'accueil et longeait l'autre aile, lorsqu'un projectile siffla tout près de son oreille et alla frapper la porte d'une des chambres. Spartacus n'eut pas le temps de se mettre à l'abri et reçut en plein front un autre projectile, qui arracha sa casquette des Canadiens. Des rires étouffés se firent entendre de derrière un gros tas de neige, poussé là au bout du stationnement par la « déneigeuse ». L'homme échaudé faillit sortir son pistolet, celui muni d'un silencieux, et faire feu dans cette direction. Des morveux se foutaient de sa gueule en lui lançant des balles de neige : il les vit apparaître l'instant d'une seconde sur la crête du banc de neige, puis glisser contre un versant dans l'obscurité. Il se contenta de crier qu'il les tuerait s'ils recommençaient, avec une conviction telle qu'ils jugèrent bon de ne pas insister.

Après quoi, Spartacus récupéra son couvre-chef, le secoua hargneusement sur un genou en tâchant de chasser de son esprit toutes les humiliations qu'il avait vécues dans son enfance et qui remontaient dans sa conscience irritée comme autant de détritus ramenés à la surface d'un cours d'eau dragué. Il devait apprendre à se contenir, ceci pour augmenter ses chances de se rendre jusqu'au Grand mystificateur.

Il lissa ses cheveux sur son crâne huileux, replaça sa casquette et s'arrêta à l'entrée du bar *L'Ami du Passant*. De l'intérieur de l'établissement fusait une musique country. Des flots de lumière rouge et bleue s'échappaient par les fenêtres et coloraient les flocons qui allaient se coller aux vitres. Avant d'entrer, il admira les motoneiges alignées le long du parapet. Ces premiers clients venaient d'arriver. Les capots encore chauds des puissants engins faisaient fondre en myriades de gouttes d'eau la neige qui s'y posait.

Bien qu'il se fût empressé de refermer la porte derrière lui, il fit irruption dans un brouillard de neige. Sur le comptoir du vestiaire s'alignaient les casques des motoneigistes. Une seule table était occupée. Cinq hommes, le haut de leur combinaison ouverte, regardaient sans un mot le film porno qui colorait l'écran de télévision. Spartacus secoua ses pieds, repéra une table dans un coin sombre et traversa sous un bombardement de rayons le plancher de danse désert. Le tenancier lui emboîta le pas, son plateau en équilibre sur le bout de l'index. Il laissa le client s'asseoir et annonça, planté à ses côtés, les spéciaux de la soirée :

— La grosse O'Keefe est à quatre piastres. Et jusqu'à minuit on a un deux pour un sur le dry gin.

— Ça va être une grosse 50.

Le tenancier glissa son plateau sous le bras et, comme il allait retourner à son bar, il demanda au nouveau venu :

— T'es un chanceux qui a tué cet automne, pas vrai ?

— Quoi ?

Le tenancier désignait la grosse tache noire qui maculait l'épaule et un côté de sa chemise. Les cadavres de Béatrice et de sa fausse mère avaient fait tout un dégât sur son vêtement, ce à quoi il n'avait pas fait attention.

— Ouais. J'ai tiré deux femelles adultes.

— Wow ! s'exclama l'homme, admiratif. En ce qui me concerne, j'ai pas vu un seul orignal de toute la saison. C'est toujours les mêmes qui tuent, misère !

Le chasseur malchanceux retourna à ses frigidaires. Au même moment, une bourrasque annonça l'arrivée d'une dizaine de nouveaux clients. Ils riaient et parlaient tous très fort, tentant de retirer leur casque à la visière embuée. Un onzième homme entra et s'empressa de les aider. Il s'agissait d'un contingent de touristes français, accompagnés de leur guide québécois, venus vivre en sol canadien la grande aventure sauvage.

— S'ils étaient arrivés trois jours avant, c'est sur l'asphalte qu'ils auraient fait du Ski-Doo, ces beaux moineaux-là ! blagua le tenancier en déposant une grosse bière, coiffée d'un verre, sur le coin de la table de Spartacus.

Puis, il alla avec bonhomie au-devant de ses clients exotiques.

Plusieurs tables furent rapprochées, et la joyeuse assemblée des explorateurs s'esclaffa de nouveau lorsque le tenancier leur souhaita la bienvenue. L'un des touristes lui demanda s'il y avait beaucoup d'ours dans la région, ce à quoi il répondit en pointant du doigt ses cinq clients attablés au fond de la salle. Ce qui ne manqua pas de les faire rigoler encore une fois. Le guide souriait béatement pour ne pas trahir sa lassitude.

Nouvelle bourrasque. Deux camionneurs vêtus de leur uniforme et deux autre types en tenue de motoneigiste, la visière ouverte, venaient de faire leur entrée. Les camionneurs se séparèrent du groupe et se dirigèrent vers le bar. Les deux autres types scrutèrent les lieux sans s'avancer, posèrent leur regard sur chacun des clients, s'attardèrent une fraction de seconde de plus sur Spartacus.

Puis sortirent. Un voyant rouge clignota dans la tête du psychopathe. Il y avait péril en la demeure.

Spartacus prit une gorgée de bière, attendit quelques secondes, quitta sa table et se dirigea vers la sortie.

— Eh vieux ! s'écria le tenancier, tu pars déjà ? On n'a même pas eu le temps de jaser de chasse.

— Je reviens tout de suite : ramasse pas ma bière !

Dans le stationnement, plusieurs moto-neiges avaient été garées dans le désordre. Parmi elles, deux puissantes Polaris, d'anciens modèles propres comme des sous neufs, au capot recouvert d'images ésotériques, luisaient sous les lampadaires. L'une des carrosseries était percée d'un trou de balle.

Il repéra dans les dunes fumantes de poudrerie des traces conduisant à l'arrière du motel. Il contourna l'extrémité du bâtiment et, arrivé au coin du mur, jeta un regard. À une trentaine de mètres, les deux moto-neigistes progressaient péniblement dans la neige épaisse. Spartacus revint à l'avant du motel et parcourut au pas de course la distance du stationnement. Il contourna l'extrémité de l'aile sud et s'arrêta au coin, plaqué contre le mur. Les types s'étaient arrêtés devant la fenêtre de sa chambre. L'un d'eux tentait de la forcer.

Spartacus profita du fait que leur attention soit captée pour se glisser dans les bois qui bordaient le terrain de l'établissement. Il put ainsi, caché dans les ténèbres, ramper tout près d'eux. À l'aide d'un couteau à mastic, ils venaient de retirer le châssis de la fenêtre. Les suppôts voulaient certainement profiter de son absence pour assassiner sa protégée. Il sortit le pistolet de sa poche, s'assura que le silencieux était bien fixé au bout du canon, puis fit feu sur le motoneigiste qui faisait la courte échelle à son complice. Touché entre les omoplates, le premier entraîna le second dans sa chute. Au moment de se redresser pour fuir, l'autre fut atteint d'un tir par l'ouverture de son casque et s'affaissa, la tête entre les jambes de son acolyte. Spartacus quitta l'orée du bois et vida tout le chargeur sur ses victimes. Il s'avança vers les corps, les superposa et monta dessus pour replacer le châssis dans l'ouverture. Après quoi il les traîna dans les bois, où il les abandonna.

Tout s'était fait proprement, sans une goutte de sang frais sur ses vêtements. Il s'assura que le pistolet était bien enfoncé dans sa poche et il retourna à *L'Ami du Passant* pour terminer sa bière. Et pour parler d'orignaux.

Une centaine de kilomètres plus bas, sur la rive sud du fleuve Saint-Laurent, le blizzard ensevelissait le chapitre des Hells.

Il ressemblait à un fort qui s'effaçait dans la tempête de sable, au cœur du désert blanc. Les routes de campagne avaient disparu tout autour sous l'action de la dense poudrerie. Les repères n'existaient plus. Le ciel et les champs ne faisaient qu'un.

Le Big Boss essuya la vitre givrée d'un mouvement de l'avant-bras, plissa les yeux pour y voir quelque chose, même s'il n'y avait absolument rien à voir, puis fit pivoter son fauteuil roulant pour revenir à la conversation. Le détective mettait de l'ordre dans les papiers qu'il étalait sur le bureau les séparant.

— Alors ? s'impatienta le patron des Hells. Ça vient, tes conclusions ?

Saint-Jean se garderait bien d'émettre quelque conclusion que ce soit. Il se contenterait de présenter le fruit de ses observations faites sur les lieux du crime, même s'il savait dans son for intérieur que Snake, le fils de son interlocuteur, n'était pas tombé noblement au combat, sous les balles des Bandidos, mais s'était bêtement fait descendre par un fou furieux qui passait par le chalet. Il y avait un hic : pour ne pas décevoir la haine viscérale de son employeur à l'endroit du gang adverse, il devait relier le meurtre aux Bandidos. Sans quoi on ne le lancerait peut-être pas sur la piste du tueur. Et comme Mad Dog Laroche promettait 50 000 dollars s'il leur permettait de le retrouver, il se devait de triturer un peu la réalité, question de justifier le contrat alléchant qu'on lui proposait. Par souci de vraisemblance, il n'irait pas jusqu'à défendre la thèse selon laquelle un Bandido en règle aurait fait *la job*. Le meurtre aurait été commandité, voilà. Le fou furieux serait un tueur à gages payé par la bande concurrente... si jamais le Big Boss demandait davantage d'explications.

— D'après les traces que j'ai relevées, un seul homme a agi. Évidemment, avec la tempête, ça m'a pas laissé beaucoup de temps pour tout explorer. Ce que je sais, c'est que le type a d'abord frappé la fille avec son véhicule, un 4 X 4, selon l'empattement, et qu'ensuite il a abattu Snake. Le truc inhabituel, c'est que le tueur a vraiment pris son temps avant de partir de...

— Qu'est-ce que tu veux dire, sacrement ! coupa l'invalide, tellement furieux qu'on aurait cru un instant qu'il se lèverait de son fauteuil pour empoigner l'ex-policier. Mon gars a quand même pas été tiré par un braconnier saoul qui a pris le temps de dégriser avant de se sauver !

— Non, non, j'ai pas dit ça, soupira l'enquêteur, la voix conciliante. Il n'y a pas de doute que le meurtre a été minutieusement planifié. Qu'on a assassiné Snake parce que c'est votre fils. Le type a dû surveiller la cabane un bon bout de temps avant de passer à l'action, pour être certain qu'il ne serait pas dérangé ou surpris. Il était tellement sûr que personne viendrait l'embêter, qu'il a passé la nuit au chalet avec la fille avant de partir.

— Calvaire ! Tu viens de dire qu'il avait d'abord frappé la pute avec son 4 X 4. Tu dérailles, *man* !

— Après avoir tiré votre gars, il a rentré la fille dans le chalet pour, disons, s'amuser avec son corps, affirma Saint-Jean, la tête rentrée dans les épaules, craignant la réaction de Mad Dog.

— C'est un maudit malade, ce gars-là !

— C'était pas du travail propre, comme on dit. Un Bandido en règle se serait contenté de tuer votre fils et sa compagne, puis il aurait déguerpi. Non, celui-là, c'était un tueur à gages, même pas professionnel, je crois, un postulant peut-être, qui voulait obtenir ses couleurs, et qui s'est payé de l'extra avec son contrat, affirma Saint-Jean, soulagé d'avoir pu cracher une partie de la vérité sans avoir eu à nier la conviction de son employeur.

— Ah ! les pourritures ! Ah ! les couillons ! brama le Hells sur un ton ascendant. Les maudits jaunes font faire leur travail par des surnuméraires maintenant ! Ces enculés ont peur de nous affronter eux-mêmes maintenant ! Ils vont payer pour ça. C'est nous autres en personne qui allons leur faire la peau. Pas des commis. Nous autres ! Nous autres !

Dans sa crise d'exécration, le Big Boss avait lancé son crâne porte-crayon, sa petite Harley en onyx ciselé, une pleine bouteille de Jack Daniel's, un téléphone cellulaire, un coupe-papier en bronze et son précieux tube Érectilex. La fenêtre derrière Saint-Jean avait été fracassée par ce dernier objet. La tempête sifflait dans la pièce, recouvrait les meubles et la moquette de gros flocons granuleux qui rebondissaient comme des billes. L'enquêteur s'était agenouillé devant le bureau de son patron et attendait, prostré là, la fin de sa colère.

Lorsque, pompette, Spartacus revint à la chambre, il trouva la naine assise en tailleur au pied du lit, affairée à découper dans des draps de quoi se confectionner des vêtements pour remplacer ses haillons puants. Elle posa son ouvrage et considéra longuement celui qui se tenait, interdit, au seuil de la porte. Un grand homme à la carrure imposante. Qui dégageait une odeur musquée et une aura très mauve, comme elle n'en avait jamais vue auparavant.

— Est-ce que c'est Marie-Papillon qui t'envoie pour me protéger ? demanda Francine Choisy, le regard mouillé de reconnaissance.

— Personne m'envoie. Je suis en expédition pour éliminer le Grand mystificateur qui a volé mon âme. T'es menacée aussi par ses

suppôts. Si tu veux me suivre, t'es la bienvenue.

Il s'assit sur le bureau et sortit le revolver de sa poche :

— J'ai éliminé les deux exécutants qui
étaient chargés de te tuer, dit-il, sans émotion.

— C'étaient probablement les hommes
de main de Caïn. Ils voulaient me ramener
au Temple.

— C'est qui ça, Caïn ?

— C'est mon maître, répondit la naine,
honteuse. C'est lui qui possède mon âme à
moi.

— T'es chanceuse de savoir c'est qui. C'est
pour ça qu'on va commencer par son cas.
Après on va s'occuper du Grand mystificateur quand on aura trouvé c'est qui exactement. T'es d'accord ?

À sa façon de mordiller sa lèvre inférieure,
la rescapée semblait effarée. Ce projet d'affronter aussi résolument son maître était une
perspective angoissante.

— Si ça peut te rassurer, j'ai beaucoup de
points de vie et un arsenal très complet, affirma le psychopathe, qui sentait la fragilité de
sa protégée. S'agit seulement d'être toujours
attentifs. C'est pour ça que deux paires d'yeux
valent mieux qu'une.

Ils se présentèrent l'un à l'autre. Spartacus
et Madame Hibou décidèrent de faire équipe

contre l'Ennemi. Après quoi Spartacus sortit l'arsenal de sous le lit et expliqua à son associée le fonctionnement de chacune des armes. Cela fait, la naine trouva un jeu de cartes dans le tiroir de la table de nuit et insista pour « tirer » son sauveur.

— Si ça peut te faire plaisir… Mais avant, faudrait te libérer la cheville de ta chaîne.

Dehors, la tempête ne se calmait pas. La nature avait déjà comblé son déficit trimestriel en termes de précipitation, comme l'expliquait, graphique à l'appui, l'animateur de la chaîne de télévision Météo Média. La loi du balancier, ça ne trompait jamais.

9 : La saison de la chasse est ouverte

Aux premiers jours de leur association, Spartacus et Madame Hibou planifièrent l'insurrection du Temple des Anges d'Andromède. Ils avaient loué une chambre dans un autre motel pour *truckers*, situé pas trop loin de leur objectif militaire. Ils avaient trouvé sur leur chemin un magasin général où ils avaient acheté des vêtements démodés, mais propres, et deux téléphones cellulaires, pour pouvoir se rejoindre si jamais les circonstances venaient à les séparer.

La naine avait longuement parlé du Temple. De Caïn. De ses disciples. Des armes en leur possession. Il s'agissait d'une ferme biologique en retrait des zones habitées. On s'y rendait par une route privée peu entretenue, et au tracé sinueux. Il avait été difficile pour Spartacus, à l'occasion de ses visites de reconnaissance, de s'approcher discrètement, à moins d'un demi-kilomètre du bâtiment principal. Ses observations avec les jumelles ne faisaient état d'aucune activité, si ce n'étaient la cheminée qui fumait et les lumières qui s'allumaient à la brunante. L'attaque serait hasardeuse, puisqu'il n'était pas possible de localiser les membres de la secte. Ce qui rendait l'intervention d'autant plus dangereuse était, selon la naine, l'impressionnant arsenal dont disposait la bande de Caïn : des fusils à répétition, des armes de poing, etc. Quant aux belligérants potentiels, seuls les hommes de confiance du gourou étaient autorisés à utiliser ce matériel, et ils étaient au nombre de cinq, si on soustrayait les deux que Spartacus avait liquidés.

Heureusement, Madame Hibou avait eu un éclair de génie. En regardant le calendrier de *pin-up girls* affiché dans une station-service où ils s'étaient arrêtés pour faire le plein, elle s'était resituée dans le temps, notion qu'elle avait quelque peu perdue à la suite de son incarcération prolongée. Oui, le vendredi suivant, c'était la nuit du Grand Transfert.

— Le Grand Transfert ? demanda Spartacus.

— C'est l'occasion rêvée, jubila la naine, se contenant à peine devant le caissier du libre-service, qui semblait réprimer une folle envie de rire. Ce vendredi, après des années de prière, les adeptes choisis – dont j'étais –, vont enfin partir pour la galaxie d'Andromède pour coloniser les Lieux éternels.

— Et on va les tirer au vol, comme des canards ? blagua le psychopathe.

— Non, non. Mais tout le monde va être absorbé par le rituel. Et drogué aux fines herbes sacrées en plus. Je pense que vendredi, juste avant minuit, ce serait le moment idéal pour faire notre visite surprise, non ?

Spartacus ne répondit pas. Son sourire complice, en coin, signifiait qu'il acceptait le plan. Il se rendit au frigidaire de la station, choisit une bouteille de vin, du mousseux, madame ! puis régla la note.

— On va fêter un peu avant de préparer tout ça en détail, fit Spartacus en ouvrant la porte à sa compagne d'armes.

Ils sortirent dans l'air vif du dehors : -27° indiquait en gros chiffres rougeoyants le thermomètre numérique fixé au poteau de l'enseigne Sonic.

Le couple de meurtriers s'engouffra dans le 4 X 4 sous une lune pâle qui délavait, telle une tache d'eau de javel, le rideau du ciel crépusculaire.

Dans la solitude corrosive de son logement de fortune, il s'était mis à jongler à son avenir. C'était la première fois depuis sa sortie de prison. La tentation de rester au service des Hells demeurait grande. Ses honoraires, payés en argent liquide, paraissaient alléchants. Mais trompeurs. Trop risqué ! Il avait l'impression qu'on pouvait le larguer du jour au lendemain. Ou le supprimer. Il était sage de revenir dans le système. Peut-être pourrait-il créer son propre emploi, ou offrir ses talents de détective privé à une clientèle moins criminalisée. Pour autant qu'il soit acquitté à son procès… Ses économies avaient fondu. Il ne lui restait plus qu'à vendre son condo de Montréal et à tenter l'aventure, en fait. Parce que son petit doigt l'avertissait de dangers imminents. Voilà : il piégerait le tueur de Snake, encaisserait la prime de 50 000 dollars. Et tirerait sa révérence. C'était à cela que songeait Saint-Jean quand Pierre arriva à l'improviste au *Easy Rider*. Il avait d'abord cru que le ti-cul venait avec le garçon taré. Il n'en était rien. Il l'invitait à monter illico dans sa vieille Camaro mangée par la rouille. Il le mènerait à un rendez-vous. Sans plus de précisions.

Et cette fois-ci, ce n'était pas au chapitre. Le ti-cul prit la direction du nord, traversa le pont qui enjambait le fleuve Saint-Laurent et emprunta la sortie pour Trois-Rivières.

— Est-ce que c'est trop te demander de me dire où on va exactement ?

— Top secret.

L'ex-policier comprit qu'il était inutile d'insister. Le ti-cul prenait très au sérieux sa mission, aussi obscure fût-elle. Il semblait fier qu'on lui confie autre chose que l'entretien des biens des Hells.

La Camaro s'arrêta devant un salon funéraire bas de gamme, situé en pleine zone industrielle. Le corps de Snake devait être exposé à cet endroit.

— Qu'est-ce qu'on fait là, Pierre ?

— On attend.

Un groupe de motards sortit du salon funéraire ; plusieurs portaient les couleurs d'autres chapitres. Un type habillé en civil se détacha du contingent et vint s'asseoir derrière le volant à la place du ti-cul. Ce dernier prit la direction du salon funéraire.

— Tu me reconnais pas, hein ? fit le nouveau chauffeur.

— Je te reconnais quand même, répondit l'ex-policier. Même si ton nouveau look est assez tranchant, si je peux dire.

The Brain était métamorphosé. Avec ses cheveux teints en blond et sa barbe rasée, l'évadé avait l'air gentil. De délicates lunettes de notaire posées sur le bout du nez achevaient de le transformer en homme du monde.

— J'ai jasé avec Big Boss. Ton histoire de tueur à gages, j'y crois pas une minute. Le gars qui a fait ça n'a rien à voir avec les Bandidos. Ça nous empêche pas de vouloir sa peau quand même. Autrement dit, c'est pas nécessaire que tu nous inventes des prétextes pour qu'on fasse ce qu'on a à faire. Nous autres, c'est l'heure juste qu'on veut, pas des romans, O.K.? Dis-nous juste comment tu comptes t'y prendre pour le coincer, notre baiseur de cadavre.

Saint-Jean comprit qu'il ne tromperait jamais The Brain. Qu'importe ! L'essentiel était qu'on respecte son contrat. Chasser du Bandido ou du forcené, c'était du pareil au même. Ce qui l'intéressait, c'étaient les 50 000 dollars.

— D'après moi, répondit l'enquêteur, notre gars, c'est rien qu'un débile qui a fait une grosse bêtise. Il a dû voler le 4 X 4 de son papa pour aller faire un tour. Il s'est perdu dans le bois et en chemin il a écrasé la fille. Comme il avait peur de se faire prendre et que son père le chicane, il a tué le témoin.

— Ouais. Si c'est ça les faits, je peux comprendre que t'aies voulu changer le scénario. Snake paraît pas bien là-dedans. Big Boss l'aurait peut-être pas pris, la vérité. Tu penses que le type habite pas très loin du chalet de Snake, si je t'ai ben compris ?

— C'est ça que je pense.

— O.K. Demain on va partir tous les deux dans le comté du débile pour essayer de trouver sa trace. Je dois rester au large, *anyway*, et ça me plaît, les chasses à l'homme. Et quand on aura trouvé le gibier, faudra quelqu'un pour l'abattre, non ? fit le criminel en sortant un lourd revolver de sous son manteau.

Le débile avait disposé sur le lit le matériel nécessaire à l'opération : la carabine avec la lunette d'approche, l'AK-47, le pistolet et des munitions en quantité pour chacun des calibres. Et la grenade, au cas où ça tournerait mal. Une paire de raquettes également, achetée dans une boutique de souvenirs pour touristes. Sur le mur de la chambre était épinglé un croquis représentant, à vol d'oiseau, la ferme des Anges d'Andromède avec son bâtiment principal et ses huit dépendances. Les stratégies insurrectionnelles apprises sur les sites paramilitaires américains, il les mettait enfin en pratique.

Le plan était classique. Spartacus se rendrait en raquettes à l'arrière de l'étable située à proximité de la maison. Il se posterait derrière la moissonneuse-batteuse abandonnée, la carabine à lunette en main. Une fois la cérémonie du Grand Transfert amorcée (à minuit trente, avaient-ils convenu), la naine entrerait en scène. Elle enfoncerait la barrière, avec le 4 X 4 bricolé avec des blocs de bois pour que la petite dame ait accès aux pédales. Puis, elle immobiliserait le véhicule à une distance convenable, au-devant de la maison. Alors, elle klaxonnerait pour annoncer son retour au bercail, jalouse de ne pouvoir participer au voyage vers la galaxie d'Andromède avec les autres adeptes choisis... Spartacus estimait que Caïn dépêcherait un ou deux de ses sbires pour se saisir de la fautrice de troubles. Qu'il abattrait avec le fusil doté de la lunette.

— Et si tu manques une de tes cibles ? s'inquiéta Madame Hibou.

— J'ai pas l'habitude de manquer mes cibles, même sans lunette d'approche, rétorqua Spartacus, un peu froissé. Les types vont être à découvert, comme des canards de la foire agricole. Sous la pleine lune, en plus. Au cas où un des suppôts s'en tirerait avec une blessure dans le cul, tu vas avoir le *gun* de calibre .22 pour finir *la job*.

Les coups de feu créeraient une diversion, et Spartacus en profiterait pour entrer par le vitrail de la chapelle jouxtant la maison, le seul accès direct à cette salle. Ensuite, il nettoierait, avec l'AK-47, ce qui resterait des effectifs de Caïn. Et il abattrait le gourou lui-même. Ce serait la phase la plus « sportive ».

— Et s'ils se servent des fidèles comme écran ? Ou comme otages ?

— Ben, ça va faire plus de sang, répondit Spartacus, agacé par les scrupules de sa complice.

10 : Profanations nocturnes

Vingt-trois heures cinquante-cinq. Spartacus, vêtu d'une combinaison blanche, traversait tel un spectre les champs glacés. La lune, haute dans le ciel sans nuages, pavait devant lui une allée lumineuse menant au Temple des Anges d'Andromède. Il avait l'impression de marcher sur le glaçage d'un gâteau, que ses raquettes craquelaient, au rythme uniforme de ses pas. Il avançait, la carabine en bandoulière, l'AK-47 appuyé sur l'avant-bras, prêt à toute éventualité. Il ne semblait pourtant y avoir âme qui vive aux alentours de la maison, pas même un chien pour signaler son avancée.

Désolation précaire ! Une rafale, soudain, éclata dans la nuit. Il se jeta de côté dans la neige. La croûte céda sous son poids. Il s'enlisait, risible, dans la poudreuse scintillante cachée sous la surface éventrée du gâteau.

— *Shit* !

Une seconde rafale, plus insistante, retentit. Ça venait de l'intérieur de la maison. De la chapelle. Derrière l'immense vitrail multi-colore, des ombres affolées s'animaient. D'autres coups de feu isolés résonnèrent. Les ombres disparurent, puis le silence revint dans la plaine. Quelque chose venait de se passer.

Spartacus se remit non sans peine sur ses raquettes, puis avança, le dos voûté, jusqu'au mur de la chapelle. La verrière, seule fenêtre du pavillon, devait faire trois mètres de haut sur un mètre et demi de large. Un fin ouvrage de verrerie, représentant de manière cubiste l'Ascension de Jésus. Œuvre fortement éclairée qui transforma Spartacus en caméléon psychédélique lorsqu'il se colla le visage contre celle-ci.

Il ne vit d'abord rien du tout. Puis, à travers un morceau de verre moins opaque, le gros orteil du Christ, le voyeur assista à une scène saisissante, même pour un psychopathe. Trois… quatre… cinq types cagoulés s'affairaient à disposer dans un cercle les cadavres de dizaines de personnes fraîchement exécutées. Spartacus regarda sa montre. Minuit sept : les Anges décollaient vers Andromède, en première à bord de la Mort, comprit-il, et les gentils agents de bord voyaient à ce que les passagers soient confortablement installés.

Une occasion en or. Qu'il saisirait.

Il enleva ses mitaines. Retira ses pieds des lanières des raquettes. Après une profonde

respiration, il fracassa le vitrail d'un éner-
gique coup de crosse et, sous une averse de
verre et de charnières de plomb, il canarda
en un travelling fluide les silhouettes stu-
péfiées qui lui faisaient face. Elles croulèrent,
sans le moindre signe vital, anonymes dans
le charnier, s'ajoutant à la cargaison de tré-
passés en route vers les Lieux éternels.

Spartacus se dressa sur le rebord de l'ouverture ogivale, la tête auréolée du disque
lunaire, semblable à un Christ ressuscité. Il
tendait, en criant, ses mains brûlantes de douleur. Sacrement ! Il se les était lacérées sur des
tessons.

Minuit quinze ! Comment pouvait-il lui
faire ça ? Le maudit délinquant ! Un contretemps peut-être… Un contretemps drôlement
long. Assez long pour le plonger dans un ter-
rible embarras.

En avant-midi, le ti-cul était venu livrer
le garçon taré, comme cela s'était déroulé le
vendredi précédent. Il avait été convenu pourtant qu'il reviendrait le reprendre deux heures
plus tard. Quelque chose d'anormal se passait. Voilà qu'il se retrouvait encombré de sa
créature sexuelle. Elle était toujours là, la sale-
té, assise dans un coin du *Easy Rider*, à pis-
ser sur le plancher en le fixant avec ses yeux
de poisson mort, la bouche ouverte et écu-
meuse de bave. C'était la dernière fois qu'il

se la taperait, puisque Pierre n'était pas fiable et qu'il le plaçait dans une situation très com-promettante.

— Merde ! Regarde ailleurs. Tu com-mences à me taper sur le système ! fit Saint-Jean, feignant de lancer quelque objet au han-dicapé mental.

Un bruit fit sursauter le pédophile. Saint-Jean se leva d'un trait de sa chaise : on cognait à l'arrière. Ouf ! Il l'aurait fait suer, ce ti-cul irresponsable.

Il se précipita vers la porte et resta inter-loqué quand il l'ouvrit. C'était The Brain qui attendait sur le perron, un sac de couchage roulé sous le bras.

— Calvaire ! fit The Brain. Là, on dirait que tu me reconnais pas, ce coup-là. On dirait que tu viens de voir une apparition.

— Non, je pensais que c'était Pierre. Je l'attendais, euh… pour une visite, bégaya Saint-Jean.

— Ouais. En tout cas, tu le reverras pas de sitôt, ton ti-cul…

— Quoi ? Qu'est-ce que tu veux dire ?

— Si tu me laissais entrer d'abord, hein ? On gèle dehors !

Saint-Jean s'exécuta. Il laissa The Brain aller seul vers le pot aux roses et resta ados-sé au chambranle de la porte, anxieux, atten-dant la réaction de son visiteur. Qui ne tarda pas d'ailleurs.

— Maudit malade ! Maudit malade !

Le motard revint sur ses pas, hors de lui. Il empoigna le pédophile par le collet :

— On t'a pas engagé pour nous donner du trouble, gros pédé ! T'as signé ton arrêt de mort, maudit malade !

The Brain plia l'ex-policier d'un puissant coup de poing dans le ventre, puis l'étendit au sol avec le coup de genou qui s'ensuivit. Saint-Jean apprécia que son agresseur se ressaisisse soudain, car il était sur le point de l'étouffer, la botte posée sur sa pomme d'Adam.

— Avoue que tu l'as méritée, celle-là !

Saint-Jean acquiesça, obséquieux, la gueule turgescente, les yeux larmoyants. Ses rapports avec les Hells s'en trouveraient entachés. Sa libido, une fois de plus, venait de le foutre dans le gros caca.

— O.K., dit The Brain, qui décompressa. On va en rester là. On a des choses importantes à faire. Demain matin, on va partir de bonne heure pour traquer le tueur de Snake. C'est pour ça que j'ai décidé de venir coucher ici. En plus, au chapitre, on se marche sur les pieds. Avec les funérailles, on se ramasse avec deux douzaines de membres des autres chapitres du Canada *pis* des States.

Saint-Jean déglutit pour recouvrer sa voix :

— J'attendais Pierre parce que c'est lui qui m'a fourni le garçon, avoua le pédophile.

— Ça me surprend pas de lui, l'imbécile ! On l'a surpris en train de nous voler de la drogue pour la revendre à des clients à lui. Pas besoin de te dire que Big Boss l'a fait éliminer…

Saint-Jean tentait de garder son sang-froid. The Brain inventait-il cela pour l'effrayer ? En tout cas, ça fonctionnait.

— Qu'est-ce qu'on fait avec le malade mental ? Je sais même pas où ils habitent, les tuteurs qui l'ont fourni à Pierre.

— Et les tuteurs en question, ils savaient où il l'amenait, leur p'tit légume d'amour ?

— Non.

— O.K., on va lui faire avaler de force un de mes somnifères, à ton mignon, pour qu'on dorme en paix cette nuit, décida le motard. Demain matin, on va le laisser sur le bord de l'autoroute. S'il a de la chance, quelqu'un va le ramasser avant qu'il gèle. Sinon, ça va faire un parasite de moins pour la société.

Madame Hibou avait entendu les coups de feu. Elle klaxonnait tout de même, selon les plans, même si quelque chose ne semblait pas tourner rond. Elle avait immobilisé le 4 X 4 à l'endroit convenu, à la minute près. Et Caïn n'envoyait pas ses sbires la cueillir.

Elle déposa le pistolet sur la console du

véhicule et prit les jumelles. Spartacus n'était pas à son poste, derrière la moissonneuse-batteuse. Avait-il devancé l'intervention ? Avait-il été repéré ?

Elle klaxonna une dernière fois, attendit quelques secondes qu'on se manifeste. Et comme ça ne bougeait pas, elle descendit du 4 X 4 et se rendit à la porte principale du Temple, l'arme au poing, nerveuse.

La porte n'était pas verrouillée. Elle n'eut qu'à la pousser et à investir les lieux. En pénétrant dans le vestibule, elle sentit une odeur sulfureuse lui brûler la gorge. Où elle se trouvait, pas un objet n'avait été déplacé, rien n'indiquait qu'on ait lutté. Les tableaux des Inspirateurs étaient bien fixés au mur, le long du sombre couloir menant à l'entrée de la chapelle.

Par le judas de cette porte monumentale en bois sculpté, une fumée bleue tournoyait. Ce n'était pas de l'encens tibétain qui s'échappait de la chapelle mais bien l'haleine des armes à feu qui ont craché à en faire rougir les canons.

La naine saisit à bout de bras le heurtoir et frappa. La porte s'ouvrit lentement et dévoila un Spartacus grimaçant, les mains crispées sur l'AK-47, pointé vers sa petite personne.

— Salut, fit-il simplement.
— T'es blessé !

— Ouais. J'ai été maladroit en grimpant par la fenêtre. Mais c'est pas grave.

Spartacus fit un pas de côté et désigna l'immense vitrail fracassé, par où l'air vif du dehors entrait.

Vision dantesque. Une trentaine de cadavres, vêtus d'un camail blanc et or, jonchaient la salle. Corps allongés sur le dos, sur le ventre, corps en position fœtale ; corps prosternés, corps enlacés ou contorsionnés. Servis en offrande sur le disque énergétique en marbre vert incrusté dans le plancher de ciment. L'assiette d'un dieu cannibale remplie à ras bord de viande saignante. Cinq autres cadavres, de noir vêtus, assaisonnaient le mets, présenté à la lueur de centaines de bougies. Elles étaient disposées au sol, tout autour de la pièce, qui semblait vaciller au gré des flammes. Une musique nouvel âge, flûte de Pan et synthétiseur, flottait dans l'atmosphère et égayait le plat. Que reluquaient des statuettes d'Osiris, de Confucius, de Gandhi, perchées sur les socles de petites colonnes ioniques.

La naine porta la main à sa bouche, moins pour se protéger de l'odeur de la mort que pour cacher son rictus de dégoût. Ces gens, elle les avait fréquentés, avait habité avec eux, les avait aimés, à une époque. Elle se sentait gênée pourtant de céder à l'horreur en présence de son Libérateur, si impassible devant la scène.

— C'est pas moi qui ai tout fait ça, crut-il nécessaire de préciser. J'ai juste abattu les exécuteurs. Est-ce que tu reconnais Caïn dans la brochette ?

L'ancienne adepte s'approcha des corps des exécuteurs et examina soigneusement les têtes sans cagoules. Dans la pénombre, la tache vineuse qui mâchurait une partie de son visage donnait la sordide impression que la naine avait un trou béant dans la tête.

— Non, fit-elle, en se redressant. Mais je sais où il pourrait se trouver. Dans la chambre de méditation, où il communie avec les autorités célestes.

Madame Hibou remit son pistolet à Spartacus, prit deux bougies et lui fit signe de la suivre, indiquant du menton la direction à prendre. Ils empruntèrent le couloir, véritable galerie de portraits de grands mystiques chers au gourou, tous inconnus de Spartacus : J. Allen Kardec, Papus, Aleister Crowley, etc. Puis, ils débouchèrent dans un salon au plafond percé d'un puits de lumière en forme de pyramide. Sur des étagères en verre, des dizaines de pierres semi-précieuses, de couleurs et de formes variées, scintillaient sous l'éclairage de la lune. Des chaises art déco entouraient une table à trois pattes encombrée de revues et de prospectus ésotériques.

— C'est là.

Spartacus renversa la table avec la crosse de son arme et ouvrit une trappe dissimulée sous une carpette brodée de croix ansées. Ils trouvèrent, cachée derrière une bibliothèque, l'échelle, qu'ils glissèrent dans l'ouverture. La naine, bougies en main, guida son protecteur dans les ténèbres ô combien familières du sous-sol, itinéraire jonché de bouteilles vides. Et ils arrivèrent au-devant d'une porte capitonnée.

— C'est grand, sa cachette ? demanda Spartacus.

— Pas plus grand qu'une chambre froide.

— Parfait, fit-il, en glissant un plein chargeur dans son fusil-mitrailleur.

Avant qu'elle n'ait le temps de s'enquérir de ses intentions, il cribla la porte d'une rafale ininterrompue. Jusqu'à ce que le chargeur soit vide.

— La vermine, on discute pas avec. On l'extermine, c'est *toute*.

Pistolet au poing, il défonça la porte d'un coup d'épaule et disparut dans l'antre éclairé. Deux coups de feu résonnèrent encore.

Madame Hibou restait à l'écart et n'osait jeter un regard dans la pièce.

— Hé ! tu viens ? cria Spartacus.

Elle s'avança sur le seuil de la porte et reconnut Caïn, affalé dans son fauteuil à roulettes, à peine identifiable tant les balles l'avaient défiguré. Il avait encore à la main la souris de son ordinateur.

— C'est lui ?

— Oui, confirma l'ex-adepte, qui sentit monter en elle une bouffée d'énergie purifi-catrice.

— T'avais raison, Francine, on l'a surpris en train de communiquer avec les autorités célestes. Regarde, se gaussa-t-il en faisant pivoter l'écran cathodique rempli de cartes, ton Caïn jouait au poker avec Dieu.

11 : Madame Hibou fait des courses

Francine Choisy avait dû s'arrêter en bordure du chemin. Ses larmes l'aveuglaient. Cela la prenait plusieurs fois par jour, au tournant d'une pensée, lorsqu'elle se retrouvait seule à jongler. Elle vivait son deuil, finalement. Avec le retour de son âme, elle avait recouvré sa sensibilité. C'était la mort de Marie-Papillon qu'elle pleurait. Ou plutôt la perspective de ne pouvoir la voir grandir. Et s'épanouir. Lorsque sa fille était née, ç'avait été sa fierté de la savoir normalement constituée. Une vengeance douce sur la nature, en quelque sorte, nature qui l'avait si mal desservie, elle. Elle ne regrettait pas un instant de l'avoir tuée, sa fille. Surtout depuis que Spartacus lui avait ouvert les yeux au sujet de la Grande supercherie dont les êtres authentiques étaient les victimes. Vivante, son Arabe de père aurait mis la patte dessus, aurait sucé l'âme de sa Marie-Papillon, tout comme Caïn avait sucé la sienne. Ce sacrifice douloureux, mais nécessaire, avait épargné bien des souffrances et des humiliations à l'enfant. N'empêche qu'elle aurait tant aimé jouir davantage de sa maternité ! Comme elle le haïssait, ce Grand mystificateur qui, selon Spartacus, tirait les ficelles de l'Irréalité ! Elle souhaitait à son sauveur qu'il recouvre son âme, lui aussi. Même si le retour de la sensibilité créait des remous intérieurs.

Cet accès de haine contre l'Ennemi épongea ses larmes. Elle se moucha et reprit la route vers le dépanneur le plus près. Bien que le Temple recelât assez de nourriture pour tenir un siège d'une année, il leur manquait parfois des produits de première nécessité, comme des serviettes hygiéniques. Ou du peroxyde. Sa maudite oreille n'en finissait plus de s'infecter.

La naine arrivait à la base de plein air, curieuse oasis en région sauvage, faite de rondins vernis, construite sur le flanc d'une colline densément boisée de pins, où ils avaient déjà fait escale pour se restaurer quelques jours plus tôt et pour y acheter les raquettes de Spartacus.

Madame Hibou immobilisa le 4 X 4. Elle jeta ensuite sur ses épaules un blouson de cuir trop grand, trouvé dans les effets personnels de son protecteur. Ainsi accoutrée, elle descendit du véhicule, prête à affronter le regard des autres.

Spartacus faisait le grand ménage. Il avait réuni son butin, principalement des fusils à répétition et des armes de poing. Il se proposait de les ranger dans une pièce, de se faire une armurerie, où il classerait le tout méthodiquement, avec la passion du collectionneur. Étant donné que sa collègue et lui s'entendaient pour se reposer quelques jours au Temple, il voulait s'installer. Pour l'heure, Spartacus empilait contre l'autel de la chapelle les corps des Anges d'Andromède. Trente-deux corps. Des femmes, des hommes, jeunes et vieux. Il avait arrêté le chauffage de la vaste salle, refroidie par le vent glacial de la plaine qui soufflait par le vitrail fracassé, de sorte que les corps, frigorifiés, n'empuantissaient plus les lieux.

En dessoudant deux victimes étreintes dans la mort, il découvrit un visage familier : Nancy Douville, la superbe ex-conjointe du rustre Stéphane Lefebvre. Nancy Douville, qui avait été la plus belle fille de Sainte-Anne-des-Chenaux et dont il était tombé amoureux, comme tous les gars du village, à l'époque de leur adolescence. Il ne se priverait pas de la débarrasser de son camail cérémonial pour voir à quoi ressemblaient, aujourd'hui, cette paire de seins turgescents et ce cul de rêve, rebondi, qui l'avaient fait fantasmer dans la solitude de ses draps.

Le ratissage avait commencé quelques jours plus tôt. Saint-Jean et The Brain s'étaient procuré une carte détaillée de la région. Ils avaient marqué d'un X l'emplacement du chalet de Snake et ils projetaient de visiter, à raison de deux ou trois haltes par jour, les centres de villégiature, les *truck stop* et les bars des localités environnantes, dans un périmètre d'une soixantaine de kilomètres. Malgré que la traque ait lieu en région sauvage, le nombre de haltes visées était considérable. Les deux hommes traînaient quelques heures à chaque endroit, épiaient les clients qui leur semblaient atypiques, écoutaient les conversations autour d'eux, en quête d'un indice qui pourrait les mettre sur une piste.

Ce soir-là, ils coucheraient à *L'Auberge Bivouac*, située en bordure d'une réserve faunique. Il s'agissait d'un centre « récréo-touristique », comme il en poussait partout dans les contrées éloignées du Québec, depuis que les touristes européens, par dizaines de milliers, avaient redécouvert la colonie oubliée. Durant l'hiver, l'établissement hébergeait surtout des fondeurs et offrait aux visiteurs des randonnées en traîneaux à chiens. *L'Auberge Bivouac*, avec son dépanneur, était le seul endroit à des kilomètres à la ronde où les exilés de la ville pouvaient trouver de quoi garnir leur glacière.

Ils avaient passé l'après-midi à boire café sur café, assis dans la salle à manger attenante au dépanneur et à la réception.

Saint-Jean s'était ravisé. Il ne recherchait plus un simple d'esprit qui aurait commis une bévue mais bien une « machine à tuer », pour reprendre le terme utilisé par le journal local. Dans un comté où le taux d'homicides était nul depuis des lustres, on faisait ses choux gras de ces histoires de meurtres et de disparitions en série. Outre le meurtre de Snake, on spéculait au sujet de l'assassinat du mécanicien de Sainte-Anne-des-Chenaux et de la disparition mystérieuse d'une famille du même village, les Dubois, dont on recherchait sans succès les corps. La Sûreté du Québec était toujours en grève et les agents dépêchés dans la région par la Gendarmerie royale du Canada piétinaient, faute de contacts. La thèse soutenue par les journalistes reliait cette violence à la guerre des gangs…

The Brain posa le journal sur la table, sortit un cigarillo de sa poche, le mouilla d'un coup de langue et l'alluma avec son « zippo » frappé d'une feuille de cannabis.

— Est-ce que tu penses que le type qu'on cherche, c'est cette machine à tuer ? demanda le motard, le visage voilé derrière un écran de fumée.

— C'est un déséquilibré qu'on cherche. Et, d'après moi, la police connaît probablement son identité à l'heure qu'il est. Même si elle prétend être dans le brouillard. C'est une tactique pour sécuriser le fou, pour mieux le pincer.

— T'as l'air *à te douter c'est qui*, Inspector ? Non ?

Saint-Jean ouvrit un *scrap book* rempli de coupures de presse.

— J'ai ma petite idée, fit-il, présomptueux. En tout cas, si j'étais encore de la police, mon suspect numéro un, ce serait ce Benoît Dubois. C'est dommage qu'il n'y ait pas de photo de lui dans les journaux…

The Brain posa son cigare dans le cendrier et revint aux pages du journal local :

— Attends. Benoît Dubois, c'est le vieux garçon qui vivait avec sa mère, non ? Un des trois qui sont disparus.

— Exact. L'autre disparue, c'est une dénommée Béatrice Picard, la nièce de la maman Dubois. Dans les journaux, on a la photo des deux bonnes femmes. Mais pas celle du « pas fin ».

— Pourquoi ?

— Difficile à dire. Peut-être parce qu'un « pas fin », personne ne s'intéresse à ça. C'est pas le genre de type qu'on invite à une noce, ou qui fait partie d'une équipe de balle. Pas facile de trouver la photo d'un marginal. Par contre, si la police suit la piste que je pense, elle a dû faire un portrait-robot de son suspect à partir des descriptions de ceux qui le connaissent. Tout ça pour dire qu'on peut se faire doubler par la Gendarmerie avant long-temps, conclut l'enquêteur, dépité.

— Calvaire ! jura The Brain. Cet enfant de chienne va s'en sortir. C'est pas juste pour Snake et pour Big Boss. Une fois qu'ils vont l'avoir pincé, ils vont le mettre dans un asile, et le sale va passer ses vieux jours à raconter aux autres malades comment il a tué un Hells Angels. C'est une vraie honte !

Saint-Jean fit une moue d'acquiescement, déçu, non pas de ne pouvoir laver l'honneur des Hells, mais plutôt de voir filer entre ses doigts le cachet de 50 000 dollars promis par Big Boss.

Au moment où les hommes concédaient la victoire, une naine entra dans le dépanneur de *L'Auberge Bivouac*. Ils la regardèrent, discrètement, tout simplement parce qu'il était difficile de résister à la curiosité malsaine qu'éveillaient la difformité et la laideur. Elle disparut quelques instants derrière les rayons, puis réapparut au-devant de la caisse, un panier à l'épaule.

The Brain plissa les yeux derrière ses faux verres, comme un myope qui chercherait à lire un écriteau et, ouvrant la bouche de manière à satisfaire un dentiste exigeant, il agita les mains, car ce qu'il voyait le laissait sans voix.

La naine portait sur ses épaules un manteau aux couleurs des Hells Angels.

12 : Les cabanes au Canada

Le ciel ressemblait au lit d'un torrent glaiseux. La tempête s'abattrait sur eux. Trentecinq millimètres de pluie verglaçante, avait-on annoncé à Environnement Canada. De quoi vitrifier la province.

Pour éviter à sa troupe de se risquer sur des routes impraticables, The Brain avait décidé de passer plus tôt que prévu à l'attaque de la ferme, jusqu'où la filature de la naine les avait conduits l'avant-veille. D'après leurs observations avec les jumelles, un seul autre individu avait été entraperçu à rôder, armé, autour du bâtiment principal. On s'expliquait mal la présence de vingt-deux véhicules dans le stationnement de la propriété, pour la plupart ensevelis sous une épaisse couche de neige. Peut-être s'agissait-il d'une cour à *scrap*. Quoi qu'il en soit, on croyait bien tenir l'homme. Qu'il fût simplement en couple ou accompagné d'autres types, cela ne changerait rien au plan d'attaque. Big Boss avait dépêché sur le terrain ses meilleurs gars pour capturer,

en bouillie ou vif, l'assassin de son fils. Dédé
« L'Indien » Savard, Steve « Bedaine » Lavoie,
Jocelyn « La bouteille » Rousseau, André « Le
Smat » Vachon, Mike « Big Dick » Flint et
Alain « Sangsue » Lévesque attendaient, ca-
chés dans un îlot de pins, le signal de The
Brain. Tout ce beau monde était armé de pis-
tolets-mitrailleurs Sten Mark II, munis de
silencieux, même si on se trouvait à des lieues
de la plus proche habitation.

Saint-Jean avait été invité à accompagner
le groupe à l'occasion de l'opération. Rassé-
réné, il espérait la récompense de 50 000 dollars dès que la peau tannée de Benoît Dubois
serait épinglée sur la cheminée du foyer de
« Mad Dog » Laroche. L'enquêteur était couché aux côtés de The Brain, sous un amon-
cellement de ferrailles, à quelques mètres de
la maison.

— Qu'est-ce que t'attends au juste pour
donner le signal ? demanda l'ex-policier.

— Le souper.

— Quoi ?

— J'attends qu'ils soient en train de cui-
siner pour les surprendre. Ils doivent bouffer, ces animaux-là, non ?

Une pluie lourde s'abattit sur la neige
croûteuse. Sous l'abondante précipitation, on
entendit grésiller la ligne à haute tension qui
longeait la terre. Au même moment, la lumière de la cuisine s'alluma et des silhouettes

s'animèrent derrière les carreaux embués de la fenêtre. The Brain attendit une quinzaine de minutes encore, puis fit brûler son « zippo ». Du couvert des arbres sortit la bande des tueurs. Elle disparut, furtive, entre les véhicules stationnés, réapparut dans la lumière jaune d'un lampadaire, puis disparut de nouveau derrière le bâtiment.

Une odeur de steak haché et d'oignon grillé s'échappait d'une fente d'aération.

Francine Choisy chantonnait, joyeuse, dans la quiétude de son nouveau foyer. Le Temple des Anges d'Andromède avait pourtant été sa geôle, au sens figuré, puis au sens littéral du terme. N'empêche qu'en ce moment, elle se surprenait à être heureuse. Un tel état de grâce remontait à l'année de la naissance de Marie-Papillon. Ce qu'elle ne s'avouait pas, peut-être pour s'éviter une déception, c'était cette passion naissante qu'elle vouait à son protecteur, mélange plutôt confus d'admiration et de sincère affection. L'être rustaud et taciturne, affairé à remonter une arme sur la table de la cuisine, elle aimait parfois se l'imaginer dans le rôle de son conjoint. Elle nourrissait son homme, voilà, comme cela se faisait dans les familles d'antan, et s'acquittait des tâches ménagères dont elle avait pris la charge tout naturellement. Francine n'avait jamais été un cordon-bleu, mais l'appétit féroce de Spartacus honorait ses plats les plus modestes.

Grimpée sur une chaise, elle cherchait de l'estragon dans la boîte à épices fixée au mur quand la fenêtre, de même que son rêve, se transforma en une fontaine de cristaux. Elle se retrouva au plancher, le visage grêlé par des particules de verre brûlantes. Puis, la porte de la cuisine vola en éclats. Des hommes lui marchèrent dessus. Des coups de feu résonnèrent et un des intrus s'affaissa sur elle. « Bon Dieu ! c'est à Spartacus qu'on s'en prend… pourvu que…»

Elle se dégagea de sous le corps qui l'écrasait et tenta de se relever. Un coup porté à l'épaule l'allongea de nouveau sur le plancher. En relevant la tête, elle vit son agresseur s'engouffrer dans le couloir des Inspirateurs. D'autres rafales, assourdies celles-là, crépitèrent dans la chapelle.

— Sauve-toi, Spartacus, sauve-toi ! criat-elle faiblement, la bouche remplie d'un sang granuleux.

Elle se sentit alors tirée par les cheveux, avec une violence telle qu'elle crut que son cuir chevelu allait fendre. Un coup porté à la nuque la fit sombrer dans une nuit criblée d'étoiles fondantes.

Spartacus, malgré la douleur qui incendiait sa fesse, fonçait tête baissée dans l'obscurité froide de la chapelle. « Ils m'ont eu dans le cul ! Ils m'ont eu dans le cul ! » Il se retourna sans s'arrêter et vida à tout hasard un plein chargeur dans la direction de ses poursuivants, puis s'élança à l'aveuglette par-dessus les corps des Anges d'Andromède. Des éclairs orangés accompagnés de détonations étouffées hachurèrent les ténèbres. Sous l'impact des projectiles, des morceaux de chair gelée éclatèrent au visage de Spartacus. Fouetté au plus profond de son être, il glissa la main dans sa poche de chemise, saisit la grenade qui s'y trouvait, mais se ravisa. En faisant sauter la cabane, il risquait de tuer Madame Hibou avec les suppôts. Il se contenta de tirer quelques coups de pistolet .58 magnum, question de se ménager une retraite par l'unique « sortie de secours » : la fenêtre ogivale du temple…

— Calvaire ! Ça tourne mal ! jura The Brain, posté dehors avec Saint-Jean.

Ils perçurent soudain une ombre en train d'enjamber l'immense fenêtre de la chapelle.

— C'est pas possible ! tonna l'ex-policier. Il nous échappe !

Le motard tira dans la direction du fuyard. En vain. La silhouette s'évanouissait dans la nuit pluvieuse et noire.

— Il s'en va vers le hangar ! s'écria Saint-Jean, les jumelles à infrarouge portées à ses yeux. S'il s'enferme là, on a encore une chance de lui mettre la main au collet.

— Allez, Inspector, amène ton gros cul ! fit The Brain en tirant son acolyte par la manche de l'imperméable, on va pas attendre qu'il fasse son nid !

Les deux hommes s'enfoncèrent dans la neige jusqu'à la hauteur des cuisses et entreprirent, ruisselants et transis, de contourner le hangar. Ils progressèrent, non sans quelques chutes, jusqu'au mur arrière du bâtiment. Dans la piste qu'ils venaient de creuser dans la croûte luisante, deux Hells leur emboîtèrent le pas, une lampe de poche dirigée vers eux.

— Éteignez ça, maudits maillets, vous voulez qu'ils nous…

Depuis l'intérieur du hangar, une rafale d'AK-47 découpa le mur de planches au-dessus de leur tête. Dix centimètres plus bas et ils auraient été atteints en plein front.

Les quatre hommes firent les morts pendant de longues secondes, trempés jusqu'aux os. Puis, un vrombissement les tira de leur torpeur.

— Un Ski-Doo ! Le malade s'échappe en Ski-Doo ! tempêta The Brain, au comble de l'exaspération.

Le motard se releva prestement et, guidé par sa seule rage, contourna à découvert la dépendance. Saint-Jean, non armé et moins téméraire, le suivit à bonne distance. Il aperçut The Brain, nimbé de lumière devant la porte du bâtiment, prêt à vider son arme sur la cible. Le motard, aveuglé, eut tout juste le temps de faire un formidable plongeon pour éviter l'engin qui fonçait sur lui à plein régime, le phare allumé...

Spartacus sentait son cœur battre dans sa fesse. Il conduisait la motoneige Polaris agenouillé sur le siège, les mains crispées sur le guidon de l'engin. Il était hors de question de poser son séant perforé sur le vinyle durci du siège tant la douleur était cuisante. Cette douleur excusait l'erreur grossière qu'il avait commise ces dernières secondes. Il avait laissé indemnes les deux autres motoneiges de la secte des Anges d'Andromède. Quatre secondes, quatre misérables secondes auraient suffi pour transformer les Polaris en gruyère avec son AK-47 ! Le fuyard jurait tout haut. Maintenant, il avait les suppôts au cul, comme si son cul avait bien besoin de cela ! En tournant la tête, il vit deux phares trembler dans l'obscurité de la plaine glacée. La pluie verglaçante s'intensifiait, gommait la piste, la rendait encore plus coulante. Les grosses gouttes d'eau, solidifiées, s'écrasaient contre son visage, puisque sa posture ne permettait pas qu'il se protège derrière le pare-brise. Stoïque, il tourna à fond la manette des gaz. Sa témérité dans des conditions aussi difficiles constituait sa seule planche de salut ; il était bien conscient qu'une embardée donnerait tout le loisir à ses poursuivants de le rejoindre en moins de deux. Il choisit de quitter la piste et de bifurquer vers la rivière, qu'il savait à moins d'un kilomètre sur sa droite. L'idée était de gagner la zone habitée pour empêcher les suppôts de faire feu dans sa direction lorsqu'il serait à portée de leurs armes. Il espérait atteindre le village des pêcheurs, installé sur la glace, à la confluence de la Sainte-Anne et du fleuve Saint-Laurent. Il revenait vers son point de départ, qu'il avait fui quelques semaines plus tôt. Pas très malin !

Saint-Jean n'osait pas étreindre Dédé « L'Indien ». Il avait pourtant grand-peine à rester en selle, assis derrière le motard qui poussait la Polaris au maximum en un vrombissement assourdissant. Chaque cahot ou virage brutal menaçait de le désarçonner. Il s'agrippait tant bien que mal au marchepied avec ses mains. Qu'il ne sentait déjà plus. Ils suivaient The Brain qui, seul sur sa motoneige, les distançait petit à petit. Un peu plus loin, l'assassin de Snake venait de disparaître entre les troncs resserrés d'une forêt de bouleaux.

« Bordel ! le malade passera jamais là-dedans ! Pas plus que nous autres… », pensa Saint-Jean, affolé.

La motoneige de The Brain disparut à son tour dans l'enchevêtrement de fûts et de branchages lustrés. L'Indien, sans réduire sa vitesse, engagea leur engin dans la piste approximative creusée en zigzag par les chenilles des autres véhicules. Le capot heurtait des branches cristallisées, qui explosaient au passage comme de fragiles ouvrages de verrerie fine. La pluie lourde continuait de tomber abondamment, le pare-brise se zébrait de langues d'eau qui figeaient au vent, rendant la vision hallucinatoire. Sensation étrange de pénétrer dans un monde fantasmagorique. Qu'ils quittèrent aussitôt ! La piste se déroba sous l'engin. La Polaris volait littéralement hors des bois qui bordaient un cours d'eau. Sur lequel ils atterrirent deux mètres plus bas, nez devant, dans un fracas de ressorts. La motoneige absorba le coup, même si les extrémités des skis se tordirent quelque peu sous l'impact. Sans s'en rendre compte, Saint-Jean avait saisi la taille du motard et il ne desserra l'étreinte qu'au moment où le véhicule cessa de glisser de côté. Les deux autres motoneiges avaient, elles aussi, réussi la cascade. Elles disparaissaient au tournant d'un méandre, en aval. Sur la rivière, une mince couche d'eau luisait dans le pinceau du phare. La chenille mit un certain temps à mordre dans la glace, puis L'Indien poussa le moteur à fond afin de ne pas être distancé. Ils filaient à vive allure, un peu de biais, parce qu'un amortisseur s'était écrasé. Les skis, recourbés comme des souliers de lutins, vibraient contre les aspérités de la piste.

Les trois motoneiges se suivaient à distance égale. Tout à coup, l'engin de The Brain frappa un billot enchâssé à la surface de l'eau et effectua une série de tonneaux. L'Indien évita de justesse le billot, puis la motoneige accidentée, qui perdait ses skis et son capot. Saint-Jean suivit, médusé, la trajectoire de la motoneige de The Brain. Elle s'abîma juste à leur gauche et alla, sans son conducteur, emboutir un quai émergeant de la glace. Le corps de The Brain gisait, inerte, au milieu de la rivière. L'Indien accéléra. Saint-Jean tirait sur le collet de son chauffeur : il lui semblait que porter secours à leur « collègue » était la moindre des choses. En réponse, il reçut un coup de coude sur la gueule. L'Indien ne voulait pas lâcher prise. Ils s'approchaient à moins de trois mètres du malade. Le motard jugea opportun de dégainer son pistolet.

Spartacus sentit comme une lame chaude lui trancher l'aisselle. Son pare-brise, ensanglanté, éclata en une multitude de tessons de plastique. Sa main perdit de sa force, de sorte qu'il relâcha les gaz. Cela eut pour effet de surprendre son poursuivant, qui heurta son pare-chocs. Le fuyard risqua alors un regard à l'arrière. La Polaris des deux types,

sous l'impact, venait d'effectuer un spectaculaire tête-à-queue ! Les bras croisés pour
permettre à sa main valide d'actionner la
manette des gaz, Spartacus poussa le moteur
et les distança un peu. Sans le pare-brise, le
vent était si fort qu'il devait déployer des
efforts surhumains afin de rester agrippé
au guidon, d'autant plus qu'il sentait ses
points de vie se volatiliser par la blessure à
son aisselle et par son cul troué. Les suppôts
lui avaient porté un sacré coup, le coup fatal,
peut-être.

Heureusement, il arrivait en vue du village des pêcheurs. Des centaines de cabanes,
installées sur la glace de la rivière, s'alignaient
le long d'avenues improvisées, aggloméra-
tion éclairée par des guirlandes lumineuses
qui étiraient à l'infini les ombres de touristes
hilares, nombreux en dépit du temps exécra-
ble. Lorsque ceux-ci virent fondre sur eux l'engin de Spartacus, ils se dispersèrent en criant.
Sa motoneige renversa au passage un touriste. Celui-ci fut aussitôt happé par la Polaris
à sa poursuite. Autre regard furtif à l'arrière : le passager en imper n'était plus en selle.
Le corps du touriste, quant à lui, était traîné
par l'engin, coincé entre les skis. Le suppôt
perdit finalement la maîtrise de son bolide.
Il termina sa course dans un casse-croûte fait
de panneaux de contreplaqué, qui s'écroula
comme un château de cartes et disparut dans

des vapeurs denses quand l'huile de la friteuse se répandit sur la glace.

Spartacus quitta la scène des yeux, juste à temps pour éviter une jeune fille qui sortait précipitamment d'une cabane. Un ski se coinça sous le pneu d'une voiture immobilisée et se tordit vers l'extérieur. Ce fut en chasse-neige que le fuyard quitta le village de cabanes et atteignit, près du fleuve, une pente donnant accès à la rivière.

Il se sentait affaibli. S'effacer dans le décor, sans attendre, pour s'éviter d'autres affrontements, voilà ce qu'il lui restait à faire. Il abandonna la motoneige un peu plus loin, derrière un abattoir désaffecté. Ensuite, il se dirigea, titubant, vers le secteur historique du village. Son état nécessitait des soins. Il pensa au vieux docteur Jacob, le vétérinaire de Sainte-Anne-des-Chenaux, qui demeurait tout près de là.

13 : La peau fendue

Les saules pleureurs, ployant sous le poids du verglas, ressemblaient à des lustres géants qui se seraient décrochés de la voûte céleste pour s'écraser dans le vieux cimetière. Spartacus progressait entre les pierres tombales enfouies dont on n'apercevait que les pointes qui perçaient la neige.

Il arrivait en vue de la demeure du docteur Jacob. Le mur arrière de la maison ancestrale, vitrifié, luisait comme un miroir sous les feux des lumières sentinelles.

Il gravit avec difficulté l'escalier du patio, les marches s'étant transformées en cascade de glaçons. La maison semblait plongée dans l'obscurité. Le vieil homme n'était tout de même pas sorti par un temps pareil ! Spartacus commençait à paniquer. « Pourvu qu'il soit pas parti en Floride pour l'hiver. »

Il esquissa un sourire de soulagement quand il colla son front contre la vitre d'une fenêtre. Dans la pièce, éclairée uniquement par les flammes vacillantes de cierges pascals, se dessinait la silhouette du médecin des bêtes. L'octogénaire, torse nu, se dandinait autour d'un tabouret, sur lequel était posé un crâne humain. Auquel il semblait parler ! Spartacus observa un instant la scène, puis s'ébroua. Il patina jusqu'à la porte d'entrée et frappa avec la crosse du fusil-mitrailleur. Des aboiements retentirent depuis le sous-sol, où le vétérinaire tenait sa clinique. Quelques minutes plus tard, Euchariste Jacob ouvrait la porte sans trop hésiter. Les yeux du vieillard s'écarquillèrent lorsque Spartacus lui enfonça le canon de son arme dans l'abdomen.

— Benoît… Benoît Dubois, balbutia-t-il, la voix chevrotante. T'as l'air mal en point, mon grand. Est-ce que je peux faire quelque chose pour toi ?

Les deux hommes se connaissaient. Le docteur avait jadis soigné le cheval de trait de son père d'adoption, à l'époque de l'érablière. Plus récemment, il avait confié aux bons soins du brocanteur le décapage et le vernissage d'une chaise berçante.

— C'est pour une urgence. Vous reprendrez votre jasette avec votre tête de mort plus tard, docteur, j'ai été atteint par des suppôts et je perds mes points de vie.

Ils étaient assis devant Big Boss Laroche, le visage boursouflé par les engelures, penauds, comme des élèves fautifs que l'on aurait convoqués au bureau du directeur de l'école. L'ex-policier reniflait le sang qui lui coulait d'une narine ; L'Indien avait un œil complètement fermé, sur lequel une pute appliquait une débarbouillette mouillée. On les avait ramenés de peine et de misère au repaire, en plein cœur de la tempête, alors que les routes se transformaient en patinoires.

— Un beau gâchis, votre intervention ! rageait le chef des Hells. On a perdu la trace de The Brain. Dans l'opération, Bedaine a été touché sérieusement, même qu'on se demande si on devra pas l'envoyer à l'hôpital. Vous avez probablement fauché un touriste à Sainte-Anne. En plus, il y a ce tas de cadavres à la ferme, là-bas, *qui va falloir* se débarrasser pour pas que ça passe sur notre dos. Comme opération discrète, c'est toute une réussite ! Une opération pas mal moins discrète que notre grosse tapette de détective. Parce que j'ai l'impression que le fou furieux n'a rien à voir avec les Bandidos et que tu m'as caché des choses, non ?

— J'ai rien caché, se défendit, mal assuré, l'ex-policier. J'étais dans l'erreur avec ma thèse sur les Bandidos, maintenant, c'est clair. On a affaire à une espèce de névrosé profond qui tue tout ce qui bouge. Et Snake a été sur son passage… Mais on devrait le coincer avant longtemps, le malade, c'est garanti.

— Le coincer avant longtemps, le coincer avant longtemps, mon cul ! Vous avez eu une chance en or de le coincer, justement, et je vois pas comment ça pourrait se représenter. Ce malade-là a pas de domicile fixe, il a même pas une destination ! Et personne a réussi à voir sa face comme il faut, baptême ! En tout cas, ta prime de 50 000 piastres expire à la fin du mois, si ça peut t'aider à être plus efficace.

— On a sa complice, se défendit Saint-Jean. On a trouvé sur elle un téléphone cellulaire. Ça veut dire qu'ils sont en communication. On n'a qu'à travailler la p'tite madame pour qu'elle le contacte. S'agirait de préparer une sorte de guet-apens : elle pourrait nous servir d'appât.

— En attendant de la torturer, on est en train de la soigner, précisa L'Indien. Elle est tellement ravagée qu'on pourrait pas trouver une place pour lui faire plus mal.

— Bon, fit Big Boss en feignant de se lever de son fauteuil roulant pour mettre fin à l'entretien, vous avez le feu vert pour la faire parler. Demandez à La Sangsue, il a déjà disséqué deux ou trois sympathisants des Bandidos dans le passé.

Spartacus était couché, nu, à plat ventre sur la table d'opération de la clinique, les mains crispées sur son arme posée devant sa tête. Il avait refusé l'anesthésie complète. Le docteur nettoyait les plaies, le cœur sur le bord des lèvres tellement son patient, noir de crasse, empestait la pièce.

— Fermez la gueule de vos maudits cabots, sinon je les endors avec mon instrument ! menaça Spartacus, écumant de rage à chacune des manœuvres du chirurgien.

Le docteur délaissa le cul ensanglanté et alla jeter de la nourriture entre les barreaux des cages où quatre molosses se trouvaient enfermés à l'étroit. Ce qui eut l'heur de les calmer et d'allonger leur espérance de vie.

— Alors, docteur, qu'est-ce que ça dit ? demanda le blessé sur un ton un peu moins menaçant.

— On peut dire que t'as eu une certaine chance. Deux projectiles se sont logés dans le gras de ta fesse, et pas trop profondément. Un troisième est sorti par le côté, sans dégâts. Pour ce qui est de ton aisselle, la balle ne semble pas avoir touché à un muscle en sortant. Une chose est sûre, par contre : une fois que j'aurai extrait les balles de ton derrière, tu vas pas pouvoir t'asseoir dessus avant un sacré bout de temps.

Pendant l'extraction, Spartacus essayait de chasser Madame Hibou de sa pensée. Il devrait se résoudre à poursuivre seul sa mission, à affronter seul le Grand mystificateur. Il était bien conscient qu'il avait perdu une bonne alliée et qu'il devait en faire son deuil, même si, comme il en avait la conviction, elle se trouvait prisonnière, encore une fois, des suppôts. Leur rencontre, si brève, n'aurait pas été vaine. Ce petit bout de femme qui lui avait appris la prudence devenait une martyre de la Cause. Cette nouvelle sagesse l'amenait justement à se demander comment il quitterait le village pour aller se planquer quelque part, loin des zones habitées. Le temps de laisser tomber un peu la poussière et de recouvrer ses forces.

— J'ai besoin de votre auto, fit-il soudainement.

— Oublie ça. Je pourrais te la laisser, remarque. À l'heure qu'il est, toutes les routes de la région doivent être fermées. À la radio, on parlait de la tempête du siècle. Tu vas devoir rester ici le temps que ça passe. Et j'ai pas l'intention de te dénoncer. Je suis trop vieux pour faire le héros et…

— Un Ski-Doo ? Vous avez un Ski-Doo ? le coupa le criminel.

Le ton de la voix de son patient fit comprendre au docteur Jacob qu'il devait trouver une alternative, il y allait de sa vie. Une solution ne tarda pas :

— Mes voisins sont partis pendant deux semaines et ils m'ont laissé les clefs pour que je puisse arroser les plantes et m'assurer que tout est normal dans la maison. Je sais qu'ils ont un V.T.T. dans le garage. Je vais te faire un gros pansement pour pas que t'aies trop de mal à conduire...

Spartacus avait de la difficulté à distinguer le Bien du Mal. L'Ennemi était partout ; tout le monde lui semblait suspect et, par conséquent, condamnable. Il se demandait si la miséricorde à l'égard du vétérinaire ne constituerait pas une marque de faiblesse et une erreur.

— Je peux te demander une faveur ? fit le docteur, mal à l'aise.

— Ça dépend quoi.

— Voilà. J'aimerais pas qu'on sache que je fais des séances de spiritisme, comme t'as pu voir tout à l'heure. Je suis marguillier, ici, à la paroisse, et ce serait pas bon pour ma réputation.

— Salut, la p'tite fille ! M'appelle Alain « La Sangsue » Lévesque. « La Sangsue » parce que je suis affectueux. On m'a demandé de te dresser comme une bonne chienne.

Francine Choisy avait été ligotée à un tapis d'exercice dans ce qui semblait être une salle d'entraînement privée. Les fenêtres haut percées l'amenaient à déduire qu'elle se trouvait, encore une fois, prisonnière d'un sous-sol. Chez un autre groupe de suppôts. Deux de ceux-là étaient venus la visiter depuis qu'elle s'était réveillée ainsi attachée : un premier pour soigner les plaies de son visage ;

un deuxième pour l'humilier, en actionnant le tapis roulant. Pendant un bon quart d'heure, elle s'était fait râper les fesses par la large bande de caoutchouc, impuissante, adossée à la console de l'appareil, les bras attachés derrière. Vraiment, en ce bas monde, elle gagnait sa place au paradis des personnes éprouvées.

Celui qui venait d'entrer avait la stature d'un géant, d'un géant obèse. Les nombreux tatouages qu'il arborait à son ventre nu disparaissaient entre les plis de ses bourrelets. Il s'avança tout près d'elle, fit glisser son pantalon. Puis son sous-vêtement. Apparut au-dessus de la tête de la naine une longue verge au gland tatoué d'une paire d'yeux méchants.

— J'ai jamais été sucé par une naine. Ça suce ben, une naine ?

Le suppôt fléchit les genoux et présenta à la bouche de sa prisonnière sa verge à demi bandée. Comme elle n'ouvrait pas les lèvres, le géant lui frotta la figure de son organe.

— Hé ! la naine ! j'ai pas toute la soirée ! Ma blonde m'attend dans mon lit.

La porte s'ouvrit, faisant sursauter La Sangsue. Un homme vêtu d'un imperméable entra dans le gymnase.

— Eh ! oh ! l'inspecteur Pédale, tu pourrais pas cogner avant d'entrer ?

— Je… je venais voir la dame pour l'informer qu'on la questionnerait. Je savais pas que t'avais commencé l'interrogatoire, bégaya l'homme.

Le géant se retourna, puis s'avança, menaçant, vers l'importun. La naine remarqua alors la chevelure et les yeux de l'intrus, et comprit qu'elle se trouvait en présence du Grand mystificateur, celui-là même qui possédait l'âme de Spartacus ! Elle devait tout faire pour entrer en contact avec son allié.

— J'ai pas commencé encore, l'épais ! Je fais juste connaissance avec notre invitée. Sors pour que je *continusse* les présentations. Je te ferai signe si j'ai besoin d'un assistant.

14 : Faire l'amour

Bien protégé des intempéries grâce à la canadienne du docteur Jacob, Spartacus fonçait dans la tempête de verglas. La pluie horizontale s'écrasait furieusement contre la visière de son casque, de sorte qu'il devait constamment l'essuyer du revers de la manche. Le V.T.T. faisait son chemin sous une ligne à haute tension. Au-dessus de sa tête défilaient à vive allure les treillis de pylônes, tuméfiés par les couches successives de glace qui s'y formaient. Les routes rurales qu'il croisait étaient désertes et, de toute évidence, impraticables.

Depuis une heure, il roulait vers le nord.

Malgré le vrombissement assourdissant du moteur, il entendit tout à coup une série de claquements secs, puis des explosions pétillantes. Le fuyard appliqua brusquement les freins, au risque de faire une embardée. Devant lui, des câbles électriques ondulaient, rompus, crachant à leur extrémité tranchée des langues de feu. Spartacus s'empressa d'entrer dans les terres.

Il s'accorda un temps d'arrêt et observa, fasciné, un pylône se tordre sous le poids de la glace. Le géant d'acier sembla d'abord lutter contre le malaise qui renflait ses structures, desquelles se détachaient de longs éclats de glace se fichant plus bas dans la neige. Puis, les membrures principales plièrent bientôt. Le géant s'agenouillait. La tête tirée en arrière par les câbles de sa chevelure, tendus comme des cordes de violon et parcourus de longs serpents d'énergie bleue, il fléchissait, agonisant, secoué par des explosions incandescentes. Sa lente chute provoquait celle de ses semblables, fragilisés, entraînés vers le sol par les quelques câbles qui refusaient de se rompre. Pareils à une file de pénitents foudroyés par la vengeance divine, les pylônes s'écrasaient au sol, les uns après les autres, à perte de vue, éclairant d'autant de feux d'artifice le flanc de la colline. Spartacus regarda leur effondrement dramatique, comme on contemplerait un signe, jusqu'à ce que le sommet de la colline s'éteigne et replonge la contrée dans l'obscurité.

Spartacus se remit en route. Le V.T.T. roula sur des kilomètres et des kilomètres, lacérant la surface uniforme des champs, jusqu'à ce que le réservoir d'essence soit vide.

Il se retrouvait dans un endroit où il ne s'était jamais aventuré. Il abandonna le véhicule et avança péniblement, la croûte coupante au ras du ventre, en sueur, dans son manteau trop chaud pour une marche aussi laborieuse. Il croiserait bien une route ou un sentier, même en ces terres inconnues, non ?

Ce ne fut qu'au lever du jour : le verglas s'abattait toujours sur le pays quand Spartacus mit le pied sur un sol un peu plus hospitalier. Il avait marché toute la nuit, d'abord à travers un interminable marécage désolé, puis dans une dense forêt de hauts conifères ; enfin, aux abords de plusieurs petits lacs vierges de toute habitation riveraine. Il secoua ses bottes dans le chemin sinueux, tout juste assez large pour livrer passage à une voiture. Un chemin saisonnier, abandonné aux rigueurs de l'hiver, mais nettoyé, par endroits, par le vent. Il leva la visière de son casque. Un panneau complètement givré se dressait devant lui. Il eut un mal de chien à déglacer la bandoulière de son fusil. À grands coups de crosse, il martela le panneau. *MUSÉE DES LÉGENDES - 500 MÈTRES - RÉOUVERTURE AU PRINTEMPS*, put-il lire. Il était donc à quelques pas d'un possible !

Ils le déshabillaient sans ménagement. À la lame de *jack knives* quand les étoffes ne cédaient pas. L'Indien menottait ses chevilles au gros anneau métallique émergeant d'un bloc de ciment. Non seulement ne l'avaient-ils pas payé, voilà que les motards se débarrassaient du témoin encombrant qu'il devenait, comme on euthanasierait une portée de chatons, jetés

dans les eaux. Dans quelles eaux à propos ?
Le fleuve était gelé, non ? À moins qu'ils ne
le traînent jusqu'au chenal… N'était-on pas
à l'intérieur de quelque entrepôt ? Les pin-
ceaux des torches s'animaient au gré de leurs
gestes précipités et s'écrasaient en ronds jaunâtres contre des parois de verre. Des aqua-
riums ! Il reconnaissait l'Aquarium de Québec.
Le jetterait-on parmi les grands esturgeons ?
Se débattre ne changerait rien à son sort. Ils
étaient une demi-douzaine à l'immobiliser,
à l'humilier, à rire de son petit pénis. Ils le
soulevaient maintenant, à grands efforts, avec
son poids aux pieds. Une paroi de verre râpa
son ventre et il coula, tête devant, dans un
univers aqueux. Il atteignit le fond granuleux et s'adossa à l'une des parois, la bouche
bien fermée malgré l'envie de crier son épou-
vante. Une créature s'avançait vers lui. Une
créature sans nageoires qui ne ressemblait en
rien à un esturgeon ou à tout autre espèce
connue. C'était le corps décapité et démem-
bré d'une femme adipeuse, mû par l'on-
doiement d'énormes seins flasques. Ses tétines
noires déchargeaient d'abondance un lait qui
caillait. Un poulpe qui fondait sur sa proie !
Le corps s'immobilisa près de lui. Le sexe du
tronc s'ouvrit. Du vagin sortirent des liga-
ments visqueux. Qui vinrent s'enrouler autour
de son cou ! Les tentacules le tirèrent vers l'ouverture sanglante et, impuissant, il sentit sa

tête entrer dans la matrice spongieuse de la femme !

Saint-Jean se débattait, sans point de repère dans l'obscurité, frappait des masses de verre et entendait ces masses tomber sur lui, ou exploser à ses côtés. Il rampa, horrifié, dans une bauge froide. Il comprit enfin où il se trouvait étendu et appréhenda l'ampleur des dégâts qu'il avait provoqués. La cave à provisions, où on lui avait fait passer la nuit, devait être dans un bel état ! Il se leva, chercha à tâtons dans les ténèbres le commutateur. Il le trouva, mais n'obtint pas la lumière. Ah oui ! la panne d'électricité... Il revint vers son sac de couchage, glissant ses pieds nus sur le ciment pour éviter les tessons, et saisit ses vêtements détrempés. La flamme de son briquet dévoila, comme il le craignait, un dégât considérable. Des pots d'œufs et de langues vinaigrées jonchaient le sol, fracassés. Il localisa la clenche de la porte et la leva.

La porte de la cave froide s'ouvrit sur une salle de jeux sens dessus dessous. C'était le petit matin. La pâle lueur du jour éclairait les décombres d'une veille orgiaque. Disséminées un peu partout dans la pièce, dégoulinantes, des dizaines de chandelles achevaient de se consumer. La panne d'électricité avait privé les Hells de leurs distractions habituelles. Pendant la beuverie, ils s'étaient divertis en poursuivant, en équipe, l'interrogatoire de la naine, bâillonnée avec son soutien-gorge. On avait attaché ses poignets et ses chevilles aux pattes de différents meubles spéciale- ment disposés pour le supplice. Les jambes écartées, la naine, nue et couchée sur le dos, avait offert tous les replis de sa difformité aux fantasmes des tortionnaires. Sa plaie à l'oreille saignait, de même que son sexe dila- té. Les yeux roulant dans leur orbite, elle s'agi- tait au bout de ses cordes, comme une pos- sédée livrée à un exorcisme. Avait-elle avoué où se trouvait son acolyte Benoît Dubois ? Saint-Jean avait la certitude que non.

Il se pencha vers elle et la débâillonna :

— Je sais qui t'es ! je sais qui t'es ! lança- t-elle, la voix râleuse.

— Ah oui ? fit l'ex-policier, d'un ton com- plaisant.

— T'es le Grand mystificateur. C'est toi qui as l'âme de Spartacus !

Il pensa qu'il n'y aurait probablement rien à tirer de ce petit monstre livré à la démence. Cette chasse au schizoïde était per- due d'avance, concédait-il. À moins de re- prendre la battue sur la rive nord, ce que n'au- toriserait certainement pas Big Boss, compte tenu des résultats de la dernière opération. Il ne lui restait plus qu'à négocier un cachet pour ses services, et à quitter cette organi- sation avant qu'elle n'ait l'idée de le liquider.

Saint-Jean prit la housse d'un futon. En recouvrit la naine.

— Tu vas crever, maudit mystificateur ! tu vas crever : Spartacus va venir te tuer ! Marie-Papillon me l'a dit ! hurla-t-elle, en guise de remerciement.

À ces mots, le grand écran du cinéma-maison s'alluma et les machines vidéo émirent leurs sons stridents dans une débauche de lumières déplaisantes. On venait de rétablir le courant dans le secteur.

Le *Musée des Légendes* était une longue construction faite de rondins. À en juger par son état, quelques années s'étaient écoulées depuis sa dernière saison d'activités. Cela n'avait pas fonctionné. Le pavillon principal était à l'abandon, on avait placardé portes et fenêtres. D'autres bâtiments en construction, plus modestes ceux-là, et à la vocation incertaine, ployaient sous le poids de la glace, squelettes de bois noircis par les intempéries et voués à un effondrement imminent.

Spartacus arracha sans difficulté le contreplaqué qui obstruait une des fenêtres, nombreuses à percer le grand chalet rustique. Il la fracassa avec un tonneau. Cette ouverture donnait sur le bureau du promoteur. La timide lueur du jour dévoilait des liasses de prospectus sur une table de travail, ainsi qu'une toilette plantée dans un coin. Il investit les lieux et ouvrit la porte donnant sur la pièce attenante, la seule autre pièce du bâtiment, plongée dans le noir. Il alluma son briquet. Le fugitif eut un vif mouvement de recul. La flamme éclairait une dizaine de silhouettes humaines, immobiles mais expressives. Il eut l'impression étrange d'être la victime étonnée d'une *surprise party* ! Il poursuivit son exploration à la lueur de son briquet et repéra un foyer assez large pour y faire cuire un chevreuil entier. Cette idée réveilla d'ailleurs son appétit. Il revint au bureau du promoteur, vida un classeur de sa paperasse et en bourra l'antre du foyer. Une chaise pliante servit de bois d'allumage. Et un cendrier creusé à même un rondin non écorcé crépita bientôt dans le brasier.

Les flammes précisaient la pantomime des mannequins, des statues de cire vêtues de riches étoffes, disséminées sans ordre dans l'espace et dont les ombres, surdimensionnées, dansaient sur le mur du fond, immense murale illustrant un canot qui voguait dans les nuages. Cette nef céleste, Spartacus la reconnut sans peine : elle représentait la chasse-galerie, histoire maintes fois racontée par ses institutrices, à l'école du rang. Parmi les personnages de cire, il identifia l'horrible sorcière Corriveau enfermée dans sa cage de fer, le géant Montferrand (bien que pas plus imposant que les autres), le coureur de fond

Alexis le trotteur. Et la superbe Rose Latulipe, au bras du Diable, dans une valse infernale qui la perdrait. Il y avait aussi un loup-garou, qui ressemblait plus à un singe qu'à un lycanthrope. Quant aux autres, sa culture folklorique ne lui permettait pas de les reconnaître.

La plus réussie était sans contredit la délicate Rose Latulipe, coiffée d'un bonnet en dentelle et coincée dans un corsage bien rempli. C'était le coup de foudre. Les traits parfaits et candides de cette Galatée le faisaient déjà rêver à des jours meilleurs. Il la libéra du Diable, le plaqua contre le mur et lui fit sauter la tête d'une décharge de son fusil-mitrailleur.

Il déposa son arme et revint vers la belle. Il crut lire dans sa moue figée un sourire de reconnaissance. Spartacus posa ses lèvres contre les siennes et apprécia, ému, son premier vrai baiser d'adolescent. Elle était consentante ! Il arracha avec difficulté la robe à panneaux, collée à sa chair de paraffine. Nue, elle dévoila des formes mirifiques. Une Barbie grandeur nature se dressait à ses côtés ! Avec deux petits défauts, certes… Qu'il corrigea sur-le-champ. Excité comme un gamin, il retourna fouiller dans le bureau et en revint avec un marqueur. Il s'appliqua à dessiner sur le bout des seins des tétins larges, comme il les aimait. Puis, entre les jambes cireuses de la nymphe, il gribouilla une toison pubienne.

Cet exercice artistique eut l'heur de dégeler sa libido. Il était bandé comme un étalon. Mais comment faire l'amour à une pucelle aux cuisses si serrées ? Par en arrière, pardi ! Il sortit de sa poche le canif suisse. À la pointe de la lame la moins large, il creusa un orifice entre les fesses rondes. Les copeaux de cire collaient à la lame, qu'il essuyait sur la braguette de son pantalon. L'homme en rut se dévêtit complètement en dépit du froid encore pénétrant des lieux. Et, sans préliminaires, il tenta d'enfoncer sa queue dans le trou grossier, les mains agrippées aux hanches de la statue. Trop petit ! Contenant son empressement, il reprit son ouvrage avec la grande lame et lui agrandit le cul, quitte à encocher quelque peu la courbe des fesses. Il se redressa, s'ajusta. Son gland glissa alors dans la cavité… Jusqu'à mi-verge. Qu'importe ! La friction lui procurait un plaisir enivrant. Si bien qu'il éjacula immédiatement. À la prochaine occasion, il trouverait certainement un outil, un vilebrequin, espérait-il, pour creuser à sa satisfaction complète le nid d'amour de sa maîtresse. Pour l'heure, il importait de chercher quelque chose à se mettre sous la dent. Après la cigarette, bien sûr, commémoration incontournable de ce dépucelage mémorable.

On l'avait enfermée de nouveau dans la salle d'entraînement. Marie-Papillon était à ses côtés, en permanence, depuis le viol collectif dont elle avait été le jouet. Non pas en chair et en os, pas même sous la forme d'une apparition, mais comme une présence dans sa tête. Elle la consolait avec ses mots d'enfant. Lui disait, en quelque sorte, que sa maman avait un rôle à jouer, là, dans l'antre des suppôts. Des suppôts qui agissaient derrière la façade d'une organisation criminelle. Tout comme Caïn avait agi sous le clocher de son Église, impunément, avec la complicité des policiers, des gouvernements québécois, canadien et américain. Hells Angels ou Anges d'Andromède, c'était du pareil au même, quelles que soient les étiquettes. Tous ces hommes étaient des agents spéciaux à la solde de l'Ennemi (pour reprendre les mots de Spartacus), des troupes d'élite, pour débusquer et détruire les affranchis en fugue. Tout ce qui lui restait à faire maintenant était d'accumuler des renseignements au sujet de ce repaire où se terrait le Grand mystificateur. Puis, par tous les moyens, tenter de communiquer ces renseignements à son protecteur. Le viol collectif avait permis d'évaluer le nombre de suppôts. Avec le Grand mystificateur et le patron des Hells (qu'elle n'avait pas encore vu), elle estimait leur nombre à huit. L'immeuble se situait à Bécancour ; elle avait entraperçu la centrale nucléaire par une fenêtre, quand on avait retiré le sac sur sa tête. C'était déjà beaucoup et suffisant pour guider Spartacus vers son destin. Encore fallait-il mettre la main sur un téléphone. Les suppôts laissaient traîner des sans-fil, un peu partout, dans les différentes pièces du sous-sol. Mais jusqu'ici, sa surveillance étant trop étroite, elle n'avait pas réussi à mettre le grappin sur un de ces foutus appareils. Cela ne tarderait pas, Marie-Papillon le lui promettait.

La naine se coucha sur le tapis de gymnastique et attendit qu'on vienne derechef la harceler.

15 : Ça pourrit de l'intérieur

Spartacus coulait des jours heureux. Combien en avait-il coulés en fait ? Il n'aurait pu le dire exactement et, en vérité, depuis qu'il avait épousé sa belle, il ne se souciait plus du temps. Pas plus que du monde, ou de tout ce qui était extérieur à son nouveau fief. Il occupait ses journées à chasser autour de ce qu'il appelait « son manoir ». De la perdrix, du lièvre, du chevreuil quand un malheureux se pointait le bout du museau sur son territoire. Surtout, au retour de la chasse, le seigneur faisait l'amour à sa dulcinée. Il l'avait drapée d'une carpette pour le plaisir de la déshabiller à chacune de leurs copulations.

Lorsqu'il faisait l'inventaire et l'entretien de son butin, il avait parfois quelques pensées pour Madame Hibou. Spartacus était amoureux fou, pour la première fois de sa vie. Vraiment, c'eût été trop déchirant d'abandonner le foyer conjugal en pleine lune de miel !

Son matériel, ou ce qu'il en restait, était disposé d'une manière sacramentelle au bout de la table de pique-nique, placée au centre de la salle d'exposition, où il prenait ses repas en compagnie de Rose. La dame se trouvait coincée entre le siège et le plateau de la table, raide comme une momie, le regard rivé au plafond, alors que son maître, repu, comptait et recomptait ses munitions, dont le nombre diminuait, bien sûr, avec le temps qui s'égrenait. Entre la grenade et le pistolet, le téléphone cellulaire, jour après jour, restait silencieux. Seule sa sonnerie sortirait peut-être le guerrier de sa béate félicité. Si Madame Hibou était encore vivante. Si Madame Hibou avait la possibilité de lui téléphoner. Il la craignait, en quelque sorte, cette mince possibilité, sans se l'avouer, bien entendu. Quitter le nid d'amour, pour un temps, risquerait de menacer son couple si fusionnel. Le bonheur était dangereux. Malheur à celui qui en avait un jour humé le parfum ; quand ses effluves se volatilisaient, les montagnes de la réalité n'en paraissaient que plus insurmontables !

— Calvaire que la vie est mal faite ! jura le preux, coincé entre l'Amour et le Devoir, brandissant le combiné à bout de bras comme s'il s'était agi de l'objet de sa damnation.

Depuis la tempête de verglas, Saint-Jean n'avait plus quitté le chapitre. Les membres en règle ne sortaient jamais non plus, car les événements de la rivière Sainte-Anne inté- ressaient maintenant au plus haut point les autorités policières. Comme le révélait *Le Journal de Montréal*, un touriste avait été happé à mort dans le village des pêcheurs. La piste avait mené à une ferme isolée où on avait dé- couvert les corps d'une trentaine de victimes des Anges d'Andromède. Les journalistes reliaient maintenant les disparitions et les meurtres récents aux activités de cette secte méconnue. Les Hells voulaient profiter de l'embrouillamini et se faisaient très discrets.

Si Saint-Jean s'était autorisé à ouvrir le téléviseur, il aurait constaté que cette invrai- semblable affaire, dont il avait été le témoin, était le sujet de l'heure, sur les chaînes cana- diennes, américaines et européennes. Pour le moment, on recherchait un couple de soi- disant Anges d'Andromède – Benoît Dubois et Francine Choisy –, responsables du massa- cre des disciples, du meurtre du mécanicien de Sainte-Anne et de l'homicide involontai- re d'un touriste français. On les disait res- ponsables aussi de bon nombre d'assassinats non résolus, même si tout cela était difficile à relier et à comprendre. Une belle bouillie pour les cochons ! Bref, Big Boss ne voulait surtout pas que des fuites amènent la poli- ce à s'intéresser à son organisation en regard de cette histoire de fous, et c'était pourquoi on imposait une quarantaine à tous, membres et non-membres, motards, putes et contractuels… Non seulement Saint-Jean ne pouvait-il pas négocier la fin de son contrat, il se trouvait à présent prisonnier du chapitre. Comme la naine !

— Veux-tu lire *La Presse*, Inspector ?

Un exemplaire du quotidien s'écrasa sur la table de la salle de jeux. Endroit où, trois fois par jour, on permettait au détective de se dégourdir. The Brain se tenait devant lui, voûté, les traits tirés, une canne à la main. Le motard n'avait plus ce regard de loup qui le faisait craindre. On aurait dit un alcoolique au sortir d'une cure, tellement il paraissait lénifié.

— Tu t'en es encore sorti ! fit Saint-Jean sur un ton faussement admiratif, seulement pour dire quelque chose, en fait.

The Brain accrocha sa canne au bord de la table, tira une chaise face à son engagé et s'assit douloureusement, le visage grimaçant. Derrière eux, les « surveillants » de Saint-Jean, La Sangsue et L'Indien, jouaient au ping-pong.

— Ouais, mais avec une côte fêlée et la palette du genou fracturée, j'pense. J'ai l'air d'un p'tit vieux qu'on *parke* dans un hospice, sacrement !

Il se demandait, étonné, pourquoi The Brain, la voix empreinte d'émotion, laissait transparaître sa grande peine de se voir ainsi diminué. Le détective profiterait de son état d'âme pour lui tirer les vers du nez. Puisque Big Boss lui refusait audience, le numéro 2 lui permettrait peut-être de connaître l'intention de l'organisation à son endroit.

— Sais-tu si on va reprendre la piste du maudit bâtard de Dubois quand tu vas avoir repris des forces ? demanda Saint-Jean en un théâtral élan de complicité. Ça serait dommage qu'il s'en sorte de même, ou qu'il finisse dans les pattes de la police sans avoir payé pour tout ce qu'il vous a fait…

La formulation n'eut pas l'effet escompté sur son interlocuteur. Loin d'être fouetté dans son orgueil, le motard semblait avoir de la difficulté à saisir la question. La bouche ouverte, les yeux plissés, il resta un instant sans dire un mot, comme si un traducteur en simultané cafouillait dans sa tête.

— Non, répondit-il enfin.

— Non ?

— Big Boss dit qu'on est dans le clin d'œil du cyclope. En tout cas, vaut mieux plus bouger si on veut pas être mêlés à cette affaire de secte. La police pourrait sauter sur l'occasion pour faire des descentes dans les chapitres, si jamais on faisait des rapprochements avec nous autres. On veut plus rien savoir de ces malades-là. Ça peut juste nous nuire, d'après ce que Big Boss en pense.

— Big Boss veut pas venger son gars ! insista Saint-Jean.

— Quand Dubois va être en prison ou à l'asile, on va trouver le moyen de lui faire la passe, c'est ça qu'on pense faire. Quitte à payer le montant fort pour que la sécurité soit moins bonne autour de lui. On a fini la chasse en forêt. C'est au zoo que ça va se continuer. Plus tard, quand la tempête de *marde* va être finie.

— On n'interroge plus la naine, si je comprends bien ?

— C'est ça. À notre réunion d'hier, on a décidé qu'on s'en débarrasserait aussitôt que l'autre malade va être arrêté et que la poussière va être retombée. C'est trop compromettant de l'avoir chez nous, la folle.

L'ex-policier sentait comme une coulée de plâtre envahir ses voies respiratoires. Il ne voulait pas croire qu'il partagerait le destin de la naine, même si son subconscient le lui criait depuis quelques nuits déjà. Il avait, jusque-là, trop espéré son cachet pour souscrire à l'urgence de quitter ces lieux par tous les moyens possibles. Il ne s'en convainquait pas totalement encore :

— Vous avez plus besoin de mes services, si je comprends bien ?

— C'est ça, tu comprends vraiment bien. Tu vas être payé quand la poussière va être retombée. En attendant, on doit te garder dans ta suite, question de sécurité, prononça The Brain, sur une note tellement académique que l'assertion semblait apprise par cœur.

Le motard se leva en s'appuyant sur le rebord de la table. Il se tourna ensuite vers les pongistes en sueur :

— Les gars ! C'est l'heure du dodo de notre inspecteur. Oubliez pas de barrer sa porte quand vous allez monter dans vos chambres !

Saint-Jean en avait le cœur net. Net et serré. Les Hells n'avaient aucunement l'intention de lui laisser la vie sauve, voilà ce qu'il comprenait enfin. Les 50 000 dollars promis, il en faisait son deuil. Un voyant rouge clignotant était allumé dans sa conscience ; il était dorénavant question de sauver sa peau et non plus d'assurer son revenu ! Il se dirigea vers ses quartiers sans laisser transparaître sa frayeur puis, au moment de fermer lui-même sa porte, il demanda une couverture supplémentaire à ses deux geôliers. Ce qu'on lui accorda.

Une brume éthérée ondulait sur la neige et achevait de se dissiper sous l'action des rayons du soleil matinal. Spartacus avait quitté le manoir avant le lever du jour, tiré de son sommeil par des cauchemars de plus en plus fréquents à hanter ses nuits. Il avait installé Rose face au foyer et avait allumé le feu sans

même profiter des premières bouffées de cha-
leur. Il avait fui son ménage. Avait fui sa Belle.
Dont il ne supportait plus le regard depuis
le début de la crise de conscience qu'il traversait. Il avait justifié son départ plus que
matinal en prétextant vouloir explorer de
nouvelles pistes. « C'est quand même pas
pour aller boire que je pars en pleine nuit.
Des bars, il y en a pas dans le coin, baptême ! » Les deux lièvres qui pendaient à sa
ceinture témoigneraient de ses justes intentions lorsqu'il rentrerait pour le dîner.

Il était adossé à une grande pruche, la
queue à l'air, arrosant d'un long trait jaune
et fumant la neige accumulée sur le bloc de
granit qu'il surplombait. Distraitement, il sui-
vait du regard la ligne sinueuse d'un ruis-
seau encaissé dans une cuvette. Au moment
de remonter sa braguette, une forme attira
son attention.

— Eh ben !

Spartacus dévala l'escarpement. Sans
perdre de vue l'étrange point noir, il zigza-
guait entre les arbres, dans la neige mouillée
jusqu'aux genoux, la main en visière au-dessus des yeux.

— Eh ben ! fit-il encore.

Il chercha un endroit où traverser le ruis-
seau à gué, mais, trop pressé, il le franchit en
pataugeant, les bottes envahies par l'eau et
le frasil. Il s'agissait bel et bien d'un orignal !

Un crâne d'orignal, celui d'un mâle adulte, avec des bois imposants, perçait un monticule de neige.

Spartacus s'empressa de dégager le reste de la carcasse. Il s'attendait, oui, à trouver le corps complet de l'élan. Non pas un trophée de chasse attaché à la calandre d'un véhicule ! Levant la tête, il remarqua plusieurs moignons de jeunes bouleaux, fauchés dans la déclivité de l'escarpement opposé. Une route devait longer la ligne de faille. Route qu'avait quittée le véhicule pour venir s'abîmer dans le fond de la cuvette. Animé d'une agitation fébrile, il acheva de déneiger la partie avant de ce qui se révéla être une familiale. Il pulvérisa le pare-brise fissuré d'un coup de coude. Dans la pénombre de l'habitacle, un duo de chasseurs, à demi bouffés par la vermine, gardaient l'expression de types qui n'avaient pas apprécié leur embardée dans le décor. C'était pour Spartacus une trouvaille réjouissante. Qui dit chasseurs dit fusils et munitions, non ?

On lui fichait la paix. Même que le repas quotidien, apporté à la cellule hier après-midi, avait semblé presque raffiné – du steak avec du riz ! – par comparaison avec l'invariable *Kraft dinner* des dernières semaines. Elle n'avait pas la naïveté de se réjouir de cette soudaine délicatesse. Marie-Papillon lui avait fait comprendre qu'il s'agissait des derniers repas de la condamnée. Ses jours étaient comptés depuis que les suppôts avaient renoncé à la faire parler. C'était sa victoire. Une victoire s'apparentant à un martyre. La situation aurait donc exigé qu'elle passe à l'action quelques jours plus tôt, au moment où elle avait senti sa vie menacée. N'avait-elle pas réussi à subtiliser un petit téléphone portable à un de ses gardiens au retour d'une pause pipi ? Complètement drogué, La Sangsue aurait pu, ce jour-là, se faire dérober son caleçon ! Plus encore, elle connaissait l'adresse complète du chapitre où on la retenait prisonnière, adresse lue sur un talon de chèque d'assistance sociale, jeté dans la corbeille du gymnase. Elle attendait, selon les directives de son ange gardien, un événement particulier, une malédiction pour reprendre les termes de Marie-Papillon, pour appeler Spartacus et le guider jusqu'au Grand mystificateur. La malédiction attendue ne fut pas une nuée de sauterelles ou un tremblement de terre. C'était un fort virus, la gastroentérite, qui incommodait soudain tout le monde dans le chapitre. Les toilettes étaient courues depuis le matin. Motards et non-membres chiaient et vomissaient à s'en user les boyaux. La naine crut urgent de donner le feu vert à son protecteur lorsqu'elle sentit, elle aussi, son estomac se retourner.

Spartacus revenait au manoir. Il rapportait trois fusils. Et de pleines boîtes de munitions en prime ! Il n'avait pu s'empêcher de dérober aussi le trophée des chasseurs. Il avait enfoncé la tête dans son sac à dos. Les bois, qui dépassaient de chaque côté de son imposante stature, lui donnaient l'allure d'un démon ailé qui aurait certainement inspiré une effroyable légende aux bûcherons du temps de la colonie. Enrichi du legs des victimes de la forêt, il rentrait dans son antre maudit pour y entasser son butin. À vrai dire, il s'allongea plus qu'il n'entra, puisque les bois ne passèrent pas dans le chambranle de la porte. Allongé sur le seuil, il fit glisser les sangles du sac à dos, puis se redressa, un fou rire dans la gorge en pensant à sa maladresse.

Cette bonne humeur fit bientôt place à l'horreur. Le corps de sa Rose reposait sur le sol. La Belle était tombée. Face première sur le tablier du foyer ! Spartacus se précipita vers elle et la tira loin des braises rougeoyantes. En la retournant sur le dos, un sentiment de vive répulsion l'envahit. Le joli minois de sa reine de beauté s'était transformé en un visage de pestiférée, en une masse informe de cloches de cire crevées. Pire : ses seins flétris et ses cuisses vergetées vieillissaient sa Galatée d'un bon demi-siècle. Il éclata en sanglots et se rendit compte qu'il ne pourrait plus jamais aimer cet être atrophié, réalisant que sa passion n'avait été que charnelle et qu'il ne l'avait jamais véritablement aimée, sa Rose Latulipe. Au plus fort de cette tourmente psychologique, le téléphone cellulaire sonna dans le fond de sa poche.

16 : Le sentier de la guerre

Il s'était passé une demi-heure entre l'appel de Madame Hibou et son départ précipité du *Musée des Légendes*. Le temps de faire les bagages, de relire les indications précises dictées par son acolyte. Pas évident. D'abord, Spartacus devait atteindre le chemin d'où était sortie la familiale des chasseurs. Et se croiser les doigts pour qu'il soit déblayé. Puis, il devait intercepter un autre véhicule susceptible de le mener à bon port, ce qui semblait être plutôt rare en cette contrée reculée. Ce qui le stressait davantage, plus encore que d'affronter les suppôts et le Grand mystificateur, c'était précisément de se rendre au chapitre. Pour lui, qui n'était jamais sorti de son patelin, la perspective de se tromper de route le rendait nerveux. Il se rassurait en pensant à la carte routière trouvée dans le coffre à gants de la familiale des chasseurs. Il avait d'ailleurs repéré, sur la carte, l'endroit exact où il se trouvait et avait tracé l'itinéraire vers le lieu de sa destination, situé de

l'autre côté du fleuve, à environ une centaine de kilomètres.

La randonnée était très ardue, même en
marchant dans les traces profondes qu'il avait
laissées un peu plus tôt. Il transportait sur
son dos tout un arsenal. Et le crâne d'orignal
dont il avait fait son porte-bonheur. Il ne fut
pas fâché, en début d'après-midi, de pouvoir
marcher sur une chaussée dégagée, hors d'haleine qu'il était et en nage dans sa canadienne doublée de fourrure.

Quant à l'insurrection qu'il mènerait seul
contre les huit suppôts dénombrés par
Madame Hibou, il comptait sur l'effet de surprise et se rassurait en sachant qu'ils étaient
affaiblis par un violent virus. Sa partenaire
avait sonné l'alerte au moment idéal. Il espérait vraiment qu'ils s'en sortent tous les deux,
pour poursuivre ensemble leur guerre contre
le grand mensonge. Ce qui excitait Spartacus,
jusqu'à l'ivresse, c'était sa rencontre immi-
nente avec le Grand mystificateur, l'infâme
personnage qui possédait son âme. Madame
Hibou, laconique à son propos, l'avait assuré qu'il n'aurait aucune difficulté à le distinguer des autres suppôts.

Au bout d'un certain temps, il vit un
épandeur à calcium. L'employé municipal,
au volant du camion, ne se doutait pas que
la curieuse apparition ornée de bois d'orignal était la « machine à tuer » qui défrayait

les manchettes. S'il avait su, il ne se serait certes pas immobilisé pour savoir pourquoi cet homme gesticulait de la sorte, planté au beau milieu de la route, pareil à un chaman en transe.

Enfermée à double tour dans le gymnase des ennemis, Francine avait le privilège de vivre ses dernières heures blottie dans les bras de Marie-Papillon. Sans l'ombre d'un doute qu'ils la tueraient dès que Spartacus se manifesterait. Ce qu'elle acceptait avec sérénité, puisqu'à sa mort elle ne ferait plus qu'une avec sa fille bien-aimée.

— Tu m'as préparé une place dans ton paradis, ma belle ? demanda-t-elle à l'oreiller qu'elle étreignait fébrilement sous ses seins.

— Laissez-moi aller aux toilettes ! cria-t-il encore, martelant la porte coupe-feu de ses poings meurtris.

Les geôliers restaient sourds à ses appels désespérés.

Saint-Jean suffoquait dans le réduit sans fenêtre, en proie à de douloureuses contractions intestinales. Et l'éclairage capricant du tube fluorescent défectueux le mettait hors de lui. Il se serait cru emprisonné dans le laboratoire d'un savant fou. Les décharges électriques rendaient l'endroit plus sordide encore. Il avait l'impression, dans cette épilepsie photonique, que les objets prenaient vie, le menaçaient. Pendant une seconde, il avait eu la certitude que les bocaux des étagères ne contenaient pas des marinades, mais bien des fœtus, à différents stades de leur développement, et qu'ils l'observaient méchamment.

Sa rage fondait en désespoir. Il se mit à chérir l'époque de l'orphelinat, même qu'il aurait souhaité en cet instant retourner au pénitencier, reculer dans le temps, juste avant sa rencontre avec le monde des Hells. Si c'était à refaire, il ferait un autre choix. Certain ! Jamais il n'aurait dû accepter l'offre de The Brain. Il regrettait, il regrettait amèrement. Il était prêt à changer. Il était prêt à revoir sa vie en profondeur. À accepter l'abstinence sexuelle, par exemple. À aider les jeunes. À témoigner de ses erreurs. À faire des conférences dans les écoles. À…

— Bon Dieu ! Pardonnez-moi. Donnez-moi une chance. Je promets d'être quelqu'un de correct si vous m'aidez, mon Dieu ! gémit Saint-Jean, agenouillé, la face écrasée contre la porte et les yeux pleins d'eau. Ainsi prostré, il fit dans ses culottes et éclata en sanglots.

L'épandeur à abrasifs était un véhicule lent, mais qui avait l'avantage d'être perçu comme un service essentiel. Auréolé des flashs jaunes du gyrophare, Spartacus se sentait immunisé, dans le rôle d'un bienfaiteur de la circulation. Il s'engagea sur l'autoroute 40 et céda le passage à une niveleuse dont les lames, au contact du bitume, produisaient une traînée de flammèches. Le préposé au déneigement ne manqua pas de saluer l'épandeur d'un généreux coup de klaxon, auquel Spartacus répondit d'un signe de la main.

Le grondement métallique du moteur couvrait les propos parasités de la radio. En haussant le volume, il put entendre son nom de baptême et celui de Madame Hibou. Il pouvait comprendre qu'ils étaient recherchés, que contrairement à ce qu'il avait cru, ils ne s'étaient pas fait oublier. Loin de là. Madame Hibou et lui étaient désignés ennemis publics numéro un ; un mandat international avait même été émis contre eux. À cette nouvelle, Spartacus sentit monter en lui une bouffée de fierté sauvage. On les comparait même à des dénommés Bonnie & Clyde ! Sûrement du bon monde, ces Bonnie & Clyde !

Apparut au sud la silhouette imprécise de l'église Sainte-Anne, seul repère à indiquer l'emplacement de son village. La brume de mer recouvrait le fleuve Saint-Laurent et gommait les rivages.

Spartacus circulait à vitesse réduite en direction du pont Laviolette, lien physique et psychologique entre sa zone et la zone des suppôts. Lien hautement symbolique surtout, qu'il franchirait pour la toute première fois. Il espérait ne pas être pris de vertige au faîte de l'imposante structure.

De l'autre côté du cours d'eau, il prendrait la première sortie et n'aurait, selon les indications de Madame Hibou, qu'à suivre la route de campagne menant à son objectif militaire.

Son matériel d'insurrection était bien disposé sur le siège du passager : la grenade, pour créer une spectaculaire diversion ; sa mitraillette, pour nettoyer ; un fusil de chasse, pour liquider à bout portant ; et son pistolet de calibre .22, pour achever.

17 : Le Grand mystificateur

Être meilleur. Être bon. Être normal quoi ! Voilà l'ambition qui lui donnait le goût impérieux de survivre, et de vivre. Comme le disaient les psys, sa descente aux enfers, longue de toute une vie dans son cas, devait être un tremplin pour l'amener à devenir quelqu'un de bien. Et puis, ce qui lui était arrivé, depuis sa naissance, ce n'était pas de sa faute. Ça avait très mal commencé. Il avait été trouvé, bébé, dans le conteneur d'un restaurant chinois. Placé ensuite chez les sœurs jusqu'au jour de son arrivée dans une famille d'accueil. Et quel accueil ! Fourré par le bonhomme pendant des années. Par tous les orifices. C'était par là qu'il commencerait s'il pouvait rencontrer un psy. Pourquoi pas, d'ailleurs ? Il rencontrerait un psy. Aussitôt sorti de ce guêpier, il se donnerait un nouveau départ en vidant son sac. Son gros sac plein de merde. Il parlerait de son père d'accueil. De la sensation qu'il éprouvait en avalant son sperme. Non pas une sensation de dégoût, mais bien de jalousie. Il avait envié le pouvoir de son abuseur, durant toutes ces années. Il avait souhaité devenir l'enculeur plutôt que l'enculé. Après avoir été récupéré par la police, il était devenu un grand enculeur de petits garçons, plus lubrique encore que le bonhomme n'avait été avec sa personne. À partir du moment où il avait eu le gros bout du bâton, sa vie n'avait été que sexuelle. Le fric et les contacts, non pas pour veiller aux bonnes mœurs de la société, mais pour dégrader les siennes. Sa problématique était circonscrite. Restait maintenant à la dépasser. Dès qu'il sortirait de là.

La porte du réduit s'ouvrit et L'Indien le trouva à genoux, le visage écrasé contre le chambranle, fiévreux.

— C'est l'heure du pipi du fifi ! plastronna le motard. Oh le porc ! T'as pas attendu pour faire ton caca, grosse pédale. Tu sens la fosse septique qui déborde.

— Je suis malade, se justifia le prisonnier. Faudrait que j'aie plus accès aux toilettes.

L'Indien le saisit par le collet, le redressa et le poussa sur un vieux *pinball*.

— Si t'es pas content du service, on va te couper tes sorties. T'es déjà chanceux d'y aller, aux toilettes. Sont pas mal occupées, les toilettes, par les temps qui courent.

L'Indien allait le frapper, quand une explosion retentit et fit vibrer les vitres des soupiraux.

— Calvaire ! fit le motard, tirant un automatique de sous sa veste.

Une descente ! À l'explosif ? Mais non, ça n'avait pas de bon sens que ce puisse être une descente de la police. Une attaque des Bandidos, pensa Saint-Jean, couché sous la machine à boules.

The Brain apparut dans l'escalier.

— Allez ! Amène ton cul ! fit-il à l'endroit de L'Indien. Ça doit être le p'tit ami de la naine qui a décidé de nous rendre visite.

— Qu'est-ce qu'on fait de la pédale ? demanda L'Indien.

The Brain dévisagea l'ex-policier et crut déceler dans son attitude un désir d'évasion. Sans qu'il n'ait eu le temps de réagir, Saint-Jean prit une décharge de revolver dans une jambe. Son hôte l'avait épargné, néanmoins.

— Toi, Inspector, tu restes avec nous autres, dit simplement The Brain, gravissant péniblement les marches, talonné par l'autre motard.

Ils disparurent.

Une rafale de mitraillette retentit au rez-de-chaussée, ponctuée de hurlements.

Laissé seul, Saint-Jean claudiquait, incapable de se porter sur sa jambe. La balle avait troué son jarret. Il se sentait comme un renard pris au piège.

Tel un androïde, Spartacus exécutait son programme avec une justesse mécanique. L'épandeur à fond de train, il avait enfoncé la haute clôture enceignant le chapitre, avait fait péter le garage à la grenade, puis avait abattu les deux types qui avaient eu le malheur de passer derrière les larges baies vitrées de la salle de jour. Par l'escalier de secours, il accédait maintenant à l'étage supérieur du bâtiment. Les alarmes du chapitre et des automobiles stationnées, déclenchées par la déflagration, couvraient de leurs notes suraiguës les crépitements du garage en flammes. Un épais brouillard s'imbibait des lueurs du feu.

Spartacus fit sauter d'un coup de pistolet le loquet de la sortie de secours. Il déboucha dans un couloir au bout duquel un suppôt ventripotent apparut en fauteuil roulant. Il l'abattit d'une rafale de mitraillette.

Spartacus revint sur ses pas, sortit de l'immeuble, descendit l'escalier jusqu'à la hauteur d'une fenêtre du premier étage, la fit éclater d'une double salve de fusil de chasse, puis se jeta dans l'ouverture. Il roula dans une pièce fermée : une chambre. Dans le lit reposait un suppôt ayant peine à gesticuler. Spartacus logea deux autres chevrotines dans le fusil de chasse, glissa les canons entre les jambes de l'agonisant et pressa sur les deux détentes. Une marmelade sanglante éclaboussa la tête du lit.

Il sortit par où il était entré, emprunta l'escalier de fer et descendit sur le plancher des vaches. Caché derrière une benne à ordures, à proximité d'une porte secondaire, il entendit les cris angoissés de ceux qui le cherchaient. La porte à ses côtés ne tarda pas à s'ouvrir, et Spartacus se coucha parmi des sacs à ordures. Trois femelles et un suppôt, non armés, s'échappaient pieds nus dans la neige, sans même l'apercevoir. Il attendit qu'ils s'éloignent de quelques pas et les faucha d'une rafale dans le dos. Deux… trois… quatre… cinq suppôts avaient été éliminés. Il consulta sa montre-bracelet. Bien qu'elle ne fût pas à l'heure, elle lui indiqua que son opération avait commencé à peine dix minutes plus tôt. Déjà, il avait fait le plein de points de vie !

Apparut au-dessus de lui, sur la marche palière de l'escalier de secours, un suppôt obèse, armé d'une Uzy. Spartacus tira une rafale à travers le plancher de treillis métallique. Quelques balles firent leur chemin jusqu'à la masse adipeuse, car l'homme hurla et laissa tomber son arme dans la benne. Il récupéra ce don du ciel, gravit les premières marches de l'escalier et vit les jambes de sa victime dépasser du seuil de la porte. L'homme se vidait de son sang – Dieu seul savait combien une pareille bête pouvait en contenir de litres ! –, une rigole sinueuse obscurcissait sous son gros cul le stuc blanc du bâtiment. Décidément, ces soi-disant paramilitaires manquaient d'entraînement. Jusqu'ici,

Spartacus les avait abattus comme les lapins de la foire agricole de Sainte-Anne. Si le nombre de suppôts était exact, il n'en manquait que deux à l'appel. Ça ne semblait plus bouger à l'intérieur. Il était temps d'explorer les lieux pour la touche finale. Le Grand mystificateur devait être tapi quelque part là-dedans, avec l'autre survivant.

Le motard, membre d'un club école des Hells (*Les Réincarnés*, pouvait-elle lire sur la veste élimée), était entré en trombe dans le gymnase, au plus fort de la fusillade. Il avait très peur, et le magnum qu'il serrait dans sa main trépidait au gré de ses palpitations. Le Réincarné avait le teint verdâtre, probablement incommodé par la malédiction de Marie-Papillon. « Tu bouges pas de là », avait-il ordonné d'une voix peu convaincante. Puis, il s'était accroupi, la tête appuyée sur la porte, pour écouter ce qui s'y passait derrière.

Il lui tournait le dos, ignorait la présence méprisable d'une naine folle et malade, assise en tailleur. Trop préoccupé, peut-être, par le danger qui viendrait à se présenter dans sa mire.

Francine devinait les intentions du Réincarné. Quand la soupe serait trop chaude, il se servirait d'elle comme otage ou comme bouclier humain. Non ! Pas question de nuire à son protecteur. Quitte à y laisser sa peau.

Sous l'oreiller qu'elle étreignait, un disque d'haltérophilie de dix livres était dissimulé. Poids qu'elle abattrait à la première occasion sur le crâne du suppôt, quand un bruit distrairait le garçon. Ou quand le garçon vomirait sa bile.

Lionne à l'affût, elle attendait de fondre sur sa proie. Au signal de Marie-Papillon.

— Eh ! oh ! Benoît, tout doux… Tu vas pas me tirer, hein ? On est de la même race, tous les deux. Regarde : on est tous les deux des rouquins !

Appuyé contre un gros aquarium, Saint-Jean, paniqué, implorait la clémence du forcené qui le tenait en joue, perplexe et muet. Les deux hommes se faisaient face à chaque extrémité de la salle. De même corpulence, ils avaient en effet la même chevelure d'un roux éclatant, la peau blanche criblée de taches de rousseur et le même regard atone rappelant celui des albinos.

Saint-Jean emporta dans le néant l'image de ce sosie faisant feu sur lui, disparaissant trop rapidement pour revoir le fil élimé de son existence tordue. En se vaporisant dans le vide, son âme meurtrie maudissait Dieu de lui avoir fait vivre la vie qu'il avait vécue.

Épilogue

Le corps du Grand mystificateur reposait sur le plancher, la gorge trouée. Il macérait dans l'eau de l'aquarium éclaté, parmi les poissons tropicaux qui frétillaient dans l'air.

Une porte s'ouvrit à la droite de Spartacus. Au moment de faire feu, il aperçut Madame Hibou. La naine avait levé les bras devant la menace :

— C'est moi, Spartacus !

— Un peu plus et t'avais un gros plomb dans le front, dit-il sur un ton de remontrance, le pistolet toujours pointé vers elle. Es-tu seule ?

— J'ai assommé le suppôt qui me surveillait, répondit-elle, en désignant le motard étendu à ses pieds.

— Ça veut dire que le compte est bon. Ramasse son arme, on décampe d'ici.

Madame Hibou sortit de sa geôle, chancelante. Affaiblie par la gastroentérite, elle tremblait de tous ses membres. Spartacus la prit dans ses bras avec la tendresse d'un père qui accueillerait sa fillette à l'aéroport.

La Mercedes des Hells fendait l'obscurité de la campagne. Madame Hibou endormie à ses côtés, Spartacus conduisait au milieu de la chaussée, le menton au-dessus du volant, concentré sur la ligne qui se délavait dans le pinceau des phares. Apparurent soudain au tournant de la route deux points lumineux, figés dans les ténèbres, puis une masse sombre. Qui s'engouffra dans leurs chairs.

L'hélicoptère de la Garde côtière survolait la scène de l'accident, éclairée par les rayons de l'aurore naissante. À la hauteur de la rivière Blanche, une limousine obstruait la 132. Deux remorques s'étaient immobilisées de part et d'autre du tronçon. Des camionneurs, montés sur le capot de la voiture des Hells, tentaient en vain de dégager l'orignal encastré dans l'habitacle.

Recroquevillé dans les viscères de l'animal, le psychopathe avait trouvé la paix. Il s'éteignait heureux, convaincu de flotter dans le ventre de sa mère.

Madame Hibou avait déjà rejoint sa Marie-Papillon. Pendant que Spartacus l'Affranchi expirait son dernier point de vie.

Game over.

Table des matières

Note sur l'auteur

Michel Châteauneuf a été chaîneur, rédacteur pour la radio et coordonnateur de programmes d'immersion française à l'Université du Québec à Trois-Rivières. Il a voyagé dans différentes régions des Amériques, notamment au Brésil, où il a séjourné à plusieurs reprises. Depuis une douzaine d'années, il enseigne la littérature au Collège Laflèche de Trois-Rivières.

La Balade des tordus est son deuxième livre publié.

Dans la même collection

Camille Bouchard :
— *Les Enfants de chienne* (roman d'espionnage)
— *Les Démons de Bangkok* (roman d'enquête)

François Canniccioni :
— *Que ma blessure soit mortelle !* (roman policier)
— *Les Larmes du Renard* (roman policier)

Laurent Chabin :
— *L'homme à la hache* (roman policier)

Michel Châteauneuf :
— *La Balade des tordus* (roman noir)

France Ducasse :
— *Les Enfants de la Tragédie* (roman portant sur la mythologie)

Frédérick Durand :
— *Dernier train pour Noireterre* (roman fantastique)
— *Au rendez-vous des courtisans glacés* (roman fantastique)
— *L'Ile des Cigognes fanées* (roman fantastique)

Louise Lévesque :
— *Virgo intacta, tome I : Arianne* (roman policier)
— *Virgo intacta, tome II : Estéban* (roman policier)

Paul (Ferron) Marchand :
— *Françoise Capelle ne sera pas recluse* (récit historique)

Achevé d'imprimer
sur les presses de Marquis imprimeur
en août 2006